D1297672

READING GERMAN

THE MACMILLAN COMPANY
NEW YORK · BOSTON · CHICAGO · DALLAS
ATLANTA · SAN FRANCISCO

MACMILLAN AND CO., Limited
LONDON · BOMBAY · CALCUTTA · MADRAS
MELBOURNE

THE MACMILLAN COMPANY
OF CANADA, Limited
TORONTO

READING GERMAN

DISCARDED

BY

OTTO P. SCHINNERER

Columbia University

❧

THE MACMILLAN COMPANY

New York   1947

PREFACE

The present book aims to supply suitable reading material for the latter part of the second, or the beginning of the third, college semester, and for corresponding stages in the high school. The exact level at which it can be most advantageously used will have to be determined by the students' preparation and will depend largely on whether they have had three, four, or five hours of weekly instruction in their elementary course.

About one half of the material, consisting of biographies of famous Germans from Luther to Bismarck, was composed by the author. It is believed that this feature, giving the students some worth-while information at an early stage, will appeal to many. But to avoid making the book top-heavy, and in order to obtain enough variety for the purpose of introducing a high percentage of the A. A. T. G. list, it was deemed best to utilize narrative prose for the remainder. In order at the same time to keep the vocabulary within reasonable limits, all of the stories have been considerably simplified by the author.

Little needs to be said about the selection of "Wieland der Schmied" and the two fairy tales. "Der verborgene Schatz" is based on a story published in *Das deutsche Echo* in September, 1933, and the author herewith takes the opportunity to express his gratitude to the publishers, B. Westermann Co., New York City, for their kind permission to use it. The author of "Der Besuch beim Leutnant" is an obscure but harmless writer by the name of Philipp Lenz, who wrote in the last quarter of the nineteenth century. The fact that it has twice been included in American collections seemed no serious drawback. Students seem to find it entertaining, and it lends itself readily to vocabulary manipulation.

The total number of items in the vocabulary is about 3000, but it is safe to say that a high percentage of these are compounds or derivatives. Thus under the word **fort** eight compounds are given, under **leben** ten derivatives or compounds, under **zurück** seven, etc. It must be remembered that the A. A. T. G. list itself has more compounds and derivatives than basic words, and many of these seem as important as the latter.

As it stands, the book contains about 90 per cent of the 1000 odd words in the *Minimum Standard German Vocabulary*. However, when the words in the author's *Beginning German* and *Continuing German* are added, these books — and they were originally planned as a unit — employ about 98 per cent of this list. The items lacking in the remaining 2 per cent are for the most part relatively unimportant words, such as **Apfelsine, Beere, Busch, Honig, Linie, Marsch, Sahne, Ziege,** etc.

The READER may be used after *Beginning German* or some other elementary text, and either in conjunction with *Continuing German*, or independently. Since it is planned for intensive *reading*, no apologies seem necessary for the omission of grammatical exercises. Furthermore, it is assumed that teachers will take advantage of some of the excellent material available for extensive reading.

In conclusion, the author takes pleasure in expressing his profound gratitude to Mr. Edmund Eisen, now of Columbia University, for his painstaking scrutiny of the text with a view to eliminating, so far as possible, many of the author's awkward constructions and unidiomatic expressions.

O. P. S.

NEW YORK CITY
March, 1940

INHALT

READING GERMAN

Wieland der Schmied: Eine Sage

I

Wieland bei Meister Mimer und den Zwergen

Im Lande Seeland herrschte Wate, ein gewaltiger Fürst, der durch seine Tapferkeit berühmt war. Als seine drei Söhne groß genug waren, fragte der Vater sie, welche Kunst sie lernen wollten.

Da sprach Eigel, der älteste: „Ich will Bogenschütze werden." 5

Der zweite Sohn, Helferich, sagte: „Ich will Arzt werden."

Der jüngste Sohn, Wieland, den der Vater am liebsten hatte, sagte: „Ich möchte Schmied werden."

Da lachte der Vater und sprach: „Das hätte ich mir denken können. Gut, meine Söhne, ich will eure Wünsche erfüllen." 10

Nun verließen Eigel und Helferich die Burg ihres Vaters. Den jüngsten Sohn Wieland jedoch begleitete der Vater selbst zu Mimer, der die besten Waffen in deutschen Landen schmiedete. Meister Mimer versprach dem Fürsten, aus seinem Sohne Wieland einen tüchtigen Schmied zu machen. 15

Nach drei Jahren war Wielands Lehrzeit zu Ende. Sein Meister sagte zu ihm: „Du bist der beste Lehrling, den ich je in meiner Werkstätte gehabt habe. Es tut mir leid, daß du mich verlassen mußt. Wenn du aber der Meister aller Meister werden willst, so bitte deinen Vater, dich zu den Zwergen Elberich und 20 Goldmar zu schicken, denn diese sind die größten Schmiede in der ganzen Welt."

Wieland dankte für den guten Rat, packte seine Sachen und ging nach Hause. Sein Vater empfing ihn mit Freuden. Als er hörte, daß sein Sohn noch mehr von den Zwergen lernen wollte, versprach er ihm, seinen Wunsch zu erfüllen. Nach einigen Wochen machte er sich mit seinem Sohn auf den Weg zu den Zwergen, die im Innern eines Berges wohnten. Diese blickten

5   mit Mißtrauen auf den stattlichen Mann und seinen Sohn, aber sie versprachen, Wieland bei sich zu behalten, wenn Wate ihnen das Lehrgeld bezahlen wolle. Zwar schien dem Fürsten der Preis sehr hoch, aber trotz des hohen Preises gab er den beiden Zwergen sogleich das Geld. Sie luden ihn ein, in einem Jahr

10   wiederzukommen, um zu prüfen, was sein Sohn gelernt habe.

Mit großem Eifer und Fleiß lernte Wieland, allerlei Waffen und Schmuck zu machen, und bei der Arbeit verging das Jahr nur zu rasch.

Eines Tages stand er vor dem Eingang der Felsenhöhle und

15   beobachtete die Vögel, wie sie ihre Nester bauten. Da sah er drei Männer kommen und erkannte den Vater mit seinen Brüdern. Die Freude des Wiedersehens war groß.

„Zeige deine Kunst!" sprach der Vater.

Da schmiedete Wieland ein Vogelnest, so fein und zierlich,

20   daß alle sich wunderten.

„Wir wollen sehen, ob auch die Vögel es für ein wirkliches Nest halten," sagte sein Vater.

Nun kletterte Wieland auf einen Baum und hängte das Nest zwischen die Zweige. Nach wenigen Tagen waren Eier in dem

25   Nest, und ein Vogel saß darauf.

Eigel, Wielands Bruder, sagte: „Wenn die Eier auf der Spitze jenes Felsens lägen, so würde ich sie doch treffen können."

„Warte!" rief einer der Zwerge. Er stieg auf den Baum und nahm die Eier aus dem Nest, ohne den Vogel zu stören. Dann

30   kletterte er auf den Felsen und sagte: „Nun zeige deine Kunst!"

Eigel spannte den Bogen, und nach jedem Schuß lag eines der Eier am Boden, und zwar genau in der Mitte halbiert. Da sprach der Zwerg Goldmar: „Ja, du bist wirklich der beste Schütze in der ganzen Welt."

„Ich will ihnen die Eier wieder ganz machen, denn nicht um=
sonst habe ich drei Jahre lang die Heilkunst erlernt," erwiderte
der zweite Sohn Helferich. Und dann setzte er die Eier so kunst=
voll zusammen und schob sie so vorsichtig wieder in das Nest, daß
der Vogel gar nicht merkte, was geschehen war.   5

Fürst Wate war mit seinen drei Söhnen sehr zufrieden und
wollte mit ihnen nach Hause zurückkehren. Aber die Zwerge
sagten: „Laß Wieland noch ein Jahr hier, damit er unsre letzten
Geheimnisse lernen kann und in Wahrheit der größte aller Meister
wird. Wir machen nur die Bedingung, daß du genau heute in   10
einem Jahr wiederkommst, um ihn abzuholen."

Fürst Wate erklärte sich bereit, seinen Sohn noch ein Jahr bei
den Zwergen zu lassen, aber die bösen Blicke der Zwerge machten
ihn besorgt. Darum sagte er zu Wieland: „Die Zwerge sind
falsch, sei vorsichtig und schlage sie zu Boden, wenn sie dir etwas   15
tun wollen. Ich lasse dir mein Schwert hier."

Mit diesen Worten stieß er das Schwert unter einem Felsen in
den Boden und nahm Abschied von Wieland.

Wate hatte recht gehabt: die Zwerge hatten böse Pläne. Sie
sahen, daß Wieland ihre Kunst so gründlich erlernt hatte, daß er   20
ein größerer Meister war als sie selber. Darum wollten sie nicht,
daß er ins Land der Menschen zurückkehre. Heimlich gruben sie
tiefe Fallen und machten den Weg, welchen Wate kommen mußte,
durch rollende Felsstücke unsicher.

Rechtzeitig machte sich Wate auf den Weg, um seinen Sohn   25
abzuholen. Am Abend vor dem festgesetzten Tage kam er ins
Gebirge der Zwerge und legte sich zum Schlafen nieder. Da kam
ein furchtbares Gewitter; es goß in Strömen, die Erde zitterte,
die Felsen rollten nieder und begruben ihn unter sich. So fand
Wate im Gebirge der Zwerge den Tod.   30

Besorgt um den Vater suchte Wieland früh am Morgen den
Ausgang der Felsenhöhle. Aber er fand ihn verschüttet und mußte
sich erst einen Weg über die Felsenstücke bahnen. Endlich fand er
die Stelle, wo des Vaters Schwert im Boden steckte. Er zog es

heraus, und es glänzte im Sonnenschein. Mit der Waffe in der
Hand ging er weiter und fand die Leiche seines Vaters.

Da hörte er hinter sich den Namen seines Vaters nennen. Er
erkannte an den Stimmen die beiden Zwerge.

5 „Nun ist der alte Wate tot," sagte der eine, „und mit seinem
Sohn werden wir auch bald fertig werden."

„Kopf ab!" lachte der andere.

Da wandte sich Wieland um und schrie: „Ihr seid schuldig am
Tode meines Vaters. Aber ich werde ihn rächen." Und er schwang
10 sein gutes Schwert, und mit jedem Streich schlug er einen von
den Zwergen nieder.

Dann ging er durch alle Zimmer der Felsenwohnung und fand
ungeheure Reichtümer. Aber er nahm nur die kostbarsten Sachen
und füllte damit zwei kleine Kästchen. Den Zauberring jedoch,
15 der mehr glänzte als alles andere, steckte er an seinen Finger und
sagte: „Mit dir will ich einmal die Hand eines geliebten Mädchens
schmücken."

Tief in der Felsenwohnung stand das berühmte Pferd Schimming, das schnellste aller Pferde. Wieland führte das edle Pferd
20 hinaus, schwang sich auf seinen Rücken und ritt der Heimat zu.

Wieland der Schmied

II

Wieland gewinnt die Wette

Eine Zeitlang lebten die drei Brüder friedlich auf der Burg des Vaters. Aber die benachbarten Fürsten ließen sie nicht in Ruhe. Da beschlossen die Brüder, ihre Heimat zu verlassen und in der Ferne eine neue Heimat zu suchen.

Endlich kamen sie in ein Land, dessen Herrscher König Nidung war. Sie erblickten ein Tal, schön wie das Paradies, in dessen Mitte ein blauer See glänzte. Dieses Tal hieß Wolfstal. Ringsum waren hohe, mit Wäldern bedeckte Berge, und auf den grünen Wiesen blühten Blumen. Hier beschlossen die Brüder zu bleiben. Sie holten Steine und bauten Hütten. Wieland der Schmied baute auch eine Schmiede, um arbeiten zu können. Nun stand er viele Stunden in seiner Schmiede und machte Waffen und herrlichen Schmuck, darunter siebenhundert Ringe, die dem Zauberring glichen.

König Nidung erfuhr von den drei Brüdern, die im Wolfstal wohnten. Er hoffte, Wielands Schätze rauben zu können. Meister Wieland war auf die Jagd gegangen, als der König mit seinen Rittern vor die Schmiede kam. Sie sahen die kostbaren Sachen, und der König nahm die besten Waffen und den Zauberring zu sich. Er erkannte ihn sogleich, weil dieser mehr glänzte als die anderen Ringe. Dann ritt der König mit seinen Begleitern wieder fort.

Als Wieland nach Hause kam, bemerkte er sogleich den Verlust. Er war besonders traurig, weil sein Zauberring fehlte. Es gefiel ihm jetzt nicht mehr im Wolfstal. Also packte er seine Schätze und sein Werkzeug auf sein treues Pferd Schimming und nahm Abschied von den Brüdern.

5

Im Walde verbarg er seine Schätze und sein Werkzeug in einem hohlen Baum. Er glaubte sich unbeobachtet, aber dann sah er einen Ritter in einiger Entfernung vorbeireiten. Wieland ließ sein Pferd bei einem Bauer, der einsam im Walde wohnte.

5 Als der junge Schmied einem Schloß zuschritt, begegnete er einem stattlichen Mann zu Pferde, der ihn fragte:

„Wie heißt du und was willst du in meinem Lande?"

Da sagte Wieland aus Vorsicht, er hieße Goldbrand und möchte dem König dienen.

10 „Du sollst in meine Dienste treten," gab der König zur Antwort.

Wieland nannte sich jetzt also Goldbrand und bekam am Hofe des Königs das Amt, drei Messer scharf und blank zu erhalten. Diese drei Messer gebrauchte der König, um Brot und Fleisch zu schneiden.

15 Das war leichte Arbeit, und in seiner freien Zeit wanderte Wieland in der Gegend umher.

Er hätte gern auch einmal die Königstochter Bathildis gesehen, die wegen ihrer Schönheit berühmt war. Bei einem großen Feste erschien sie, und als Wieland sie erblickte, wuchs eine heiße Liebe

20 zu ihr in seinem Herzen. An einem Finger ihrer linken Hand aber sah er seinen Zauberring.

Die Prinzessin redete freundlich mit den Gästen ihres Vaters, doch für den armen Diener hatte sie keinen Blick übrig.

Wenige Tage nachher reinigte Wieland gerade die drei Messer

25 am Brunnen, als die Königstochter vorbeiging. Er war so über- rascht, daß er eines der Messer in den Brunnen fallen ließ.

„Der König tötet mich, wenn er das erfährt," dachte Wieland. „Ich werde heute nacht in der Schmiede des Amilias ein neues machen."

30 Als alles im Schloß schlief, ging Wieland in die Schmiede, machte Feuer, suchte den besten Stahl und schmiedete ein Messer, das genau so aussah wie das verlorene.

Als der König am nächsten Morgen das Brot schnitt, drang das Messer durch den Holzteller bis tief in den Tisch. Alle An-

wesenden waren erstaunt, und als der König das Messer betrach=
tete, sah er, daß es neu war.

Goldbrand wurde gerufen.

„Weißt du, woher dieses wunderbare Messer kommt?" fragte
ihn der König.

„Wahrscheinlich hat Amilias es geschmiedet," sagte er.

In diesem Augenblick trat Amilias vor und sagte: „Ja, Herr
König, ich habe das Messer geschmiedet."

„Lügner," schrie der König, „niemals könntest du ein solches
Meisterstück machen, das selbst dem berühmten Schmied Wieland
Ehre machen würde. Sprich, Goldbrand, wer hat das Messer
gemacht?"

„Ich," sagte Wieland kurz.

„Ich wette meinen Kopf, daß meine Kunst größer ist als die
des jungen Goldbrand," rief Amilias.

„Willst du die Wette annehmen?" fragte der König Gold=
brand.

„Ich nehme sie an."

„Dann lasse Goldbrand ein Schwert schmieden, mich aber Helm
und Rüstung," sagte Amilias. „Wenn sein Schwert durch die
Rüstung dringt, gebe ich mich verloren, wenn nicht, so verliert
er sein Leben."

„Gut!" rief der König. „Ich gebe euch ein Jahr. Dann wollen
wir entscheiden, wer von euch der größte Meister ist."

Nachdem Amilias einige Monate fleißig gearbeitet hatte, fragte
ihn der König, wie weit er mit seiner Arbeit sei.

„Ich bin bald damit fertig," erwiderte Amilias. „Der arme
Goldbrand ist verloren."

Da ließ der König den jungen Goldbrand rufen und fragte
ihn, wie weit er mit der Arbeit an seinem Schwert sei.

„O, ich habe noch gar nicht daran gedacht, Herr," sagte Wie=
land und lachte. „Dazu hat es noch lange Zeit."

Wenige Wochen, ehe die bestimmte Zeit um war, wiederholte
der König seine Frage an Wieland.

„Ich würde jetzt gerne mit der Arbeit beginnen, wenn ich eine Schmiede hätte," sagte dieser.

Da gab König Nidung Befehl, eine Schmiede zu bauen. Wieland ging in den Wald, um sein Werkzeug zu holen, das er in einem hohlen Baume verborgen hatte. Aber als er dorthin kam, war es fort. Das machte Wieland sehr traurig. Er wußte nicht, wer es gestohlen haben konnte. Endlich erinnerte er sich an jenen Ritter im Walde. Er ging zum König und erzählte ihm, was geschehen war.

„Wirst du jenen Ritter wieder erkennen?" fragte dieser.

„Gewiß, Herr," antwortete Wieland.

Der König ließ alle seine Ritter an den Hof kommen, aber obgleich Wieland sie alle sah, fand er den gesuchten Ritter nicht unter ihnen. Der König und alle Anwesenden lachten über Goldbrand.

Aber Wieland ging in seine Schmiede, und mit Hilfe der wenigen Werkzeuge, die ihm der König hatte geben lassen, formte er einen Mann aus Eisen, der genau so aussah wie jener Ritter im Walde. Dann zeigte er dem König das Bild.

„Das ist der Ritter Rugfried!" rief der König in großer Überraschung. „Ich habe ihn als Boten fortgeschickt, aber er muß morgen zurückkehren. Dann sollst du dein Werkzeug wieder haben, denn du bist wirklich ein großer Künstler."

Als der Ritter am folgenden Tag zurückkehrte, zeigte ihm der König sein Bild in Eisen und erzählte ihm, was geschehen war.

Der Ritter lächelte. „Weil Goldbrand so ein großer Künstler ist, soll er auch zurückbekommen, was sein Eigentum ist," rief er aus.

Nun freute sich Wieland, schloß sich in seine Schmiede und ruhte nicht, bis er ein Schwert geschmiedet hatte, so scharf, daß es Eisen zerschnitt. Er nannte es Mimung zu Ehren seines ersten Lehrers, der ihn in der Schmiedekunst unterrichtet hatte.

Der Tag der Entscheidung kam. Amilias schritt stolz in die Halle, als hätte er schon den Sieg gewonnen. Alle Ritter kamen, um zu sehen, wie die Sache sich entscheiden würde.

Die Rüstung des Amilias widerstand allen Streichen der Ritter, aber Wieland gab ihm einen Streich mit solcher Gewalt, daß der Helm des Amilias samt dem Haupt und der Rüstung gespalten wurde.

Die Ritter erschraken.

Endlich sagte der König: „Du bist kein anderer als Wieland der Schmied."

Und der Sieger erwiderte: „Ja, der bin ich." Alle blickten auf ihn, denn sein Name war berühmt.

König Nidung aber sagte: „Nun tritt an Stelle des Meisters Amilias ein besserer: Wieland, der den Mimung geschmiedet hat."

Von dieser Zeit an stand Wieland im Dienst des Königs und arbeitete fleißig, denn alle Ritter wollten Waffen haben, welche der berühmte Meister gemacht hatte.

Wieland der Schmied

III

Wieland wird schlecht belohnt und plant Rache

Aus Schweden kamen Boten, dem König Nidung Krieg zu
erklären. Da rief er schnell sein Heer zusammen und zog aus,
und auch Wieland war unter seinen Kriegern. Er hatte sich eine
herrliche Rüstung gemacht und trug stolz sein gutes Schwert
Mimung an der Seite. Aber die anderen Ritter verachteten ihn,
weil er nur ein Schmied war.

Nach wenigen Tagen kam das Heer an die Grenze des Landes,
wo der Feind stand. Plötzlich wurde das Gesicht des Königs
bleich vor Schrecken, denn er hatte bemerkt, daß er seinen Siegstein zu Hause vergessen hatte. Er wußte, daß er ohne ihn die
Schlacht verlieren würde.

„Wer mir bis zum Beginn des Kampfes den Stein holt, soll
ein König werden wie ich und meine Tochter zur Frau erhalten,"
rief der König.

Die Ritter sagten, das sei unmöglich, denn die Entfernung war
sehr groß.

Da trat Wieland vor den König und sprach: „Ich will den
Versuch machen, dir den Stein zu holen. Wirst du dein Königswort halten und mir deine Tochter zur Frau geben?"

„Ja!" versprach der König vor allen Rittern. Da schwang sich
Wieland auf den Rücken seines guten Pferdes und ritt mit
Windeseile davon.

Alle, die den Reiter sahen, glaubten, es sei Wotan, der durch
die Luft reite.

Endlich gegen Mitternacht kam Wieland vor den Türmen des
Königsschlosses an. Als das Tor geöffnet war, empfing er aus

der Hand der schönen Bathildis den kostbaren Stein. Nun ritt er zurück, so schnell wie er gekommen war.

Ganz nahe bei dem Ort, wo das Lager des Königs war, trat ihm ein Ritter mit mehreren Kriegern entgegen und rief: „Meister Wieland, wenn du den weiten Ritt wirklich gemacht hast, dann mußt du ein Zauberer sein!"

Mit diesen Worten hob er seine Lanze gegen Wieland und schrie in großem Zorn: „Denke nicht, daß du, ein elender Schmied, die Hand der Königstochter Bathildis erhalten wirst!"

Die Worte des Ritters hatten Wieland tief verwundet. Als der andere ihn angriff, schwang er sein gutes Schwert Mimung, und mit gespaltenem Haupt fiel der Angreifer zu Boden. Die Krieger flohen, und Wieland setzte seinen Weg fort und brachte dem König den Siegstein.

„Wer gab ihn dir?" fragte dieser.

„Die schöne Bathildis, meine Braut," antwortete Wieland.

Da machte der König ein finsteres Gesicht. Er hatte durchaus nicht die Absicht, dem Schmied seine Tochter zur Frau zu geben. Von dieser Stunde an suchte er einen Grund, wie er sein gegebenes Wort brechen könne.

Noch vor Beginn der Schlacht hörte der König, daß Wieland einen seiner Ritter getötet hatte. Da wurde er zornig und sprach: „Du, ein elender Schmied, hast es gewagt, einen meiner Ritter anzugreifen? Ich verbanne dich aus meinem Lande und verbiete dir, dich je wieder an meinem Hofe sehen zu lassen."

„Hältst du so dein Königswort?" fragte Wieland. „In ehrlichem Kampfe tötete ich den Ritter, der mich angriff. Die Götter werden dich strafen."

Mit diesen Worten wandte Wieland sein Pferd und ritt fort.

Als Sieger kehrte König Nidung nach einigen Wochen heim, und nun wurden große Feste in der Burg gefeiert. Von Wieland hörte man nichts, aber jedesmal, wenn der König an der verlassenen Schmiede vorbeiging, dachte er, wie dumm es von ihm gewesen sei, den berühmten Meister aus dem Lande zu verbannen.

Die Prinzessin Bathildis aber wurde immer stiller und saß oft traurig in ihrem Turmzimmer. Sie konnte den tapfern, schönen Schmied nicht vergessen und durfte doch mit keinem Menschen von ihm sprechen.

5 Eines Tages erfuhr der König, daß Wieland noch im Lande sei, und daß man ihn in einem großen Walde gesehen habe. Auf Befehl des Königs wurde der Held gefangengenommen und mit gebundenen Händen und Füßen vor den Herrscher gebracht.

Damit der Meister das Land nie wieder verlassen könne, ließ
10 der grausame König ihm die Sehnen an den Füßen durchschneiden. Wie ein Krüppel konnte Wieland nun nur an zwei Krücken gehen. Nicht weit vom Schloß war ein großer See, in dessen Mitte eine Insel lag. Dort wurde auf Befehl des Königs eine Schmiede für ihn gebaut, und Wieland mußte nun Tag für Tag Waffen
15 schmieden. Oft aber schaute er mit finsteren Blicken hinüber zur Königsburg und plante Rache.

Eines Tages kam Wielands Bruder Eigel aus fernen Landen zurück in Begleitung seines Sohnes Isung, der sich freute, seinen Onkel kennenzulernen. Herzlich drückten die Brüder sich die
20 Hände. Jeder berichtete, was er in den langen Jahren der Trennung erlebt hatte.

Wieland führte seine Gäste in ein einfaches Haus, das neben der Schmiede lag. Aus einem Nebenzimmer drang das Geschrei von vielen Vögeln.

25 „Was willst du mit all den Vögeln?" fragte Eigel erstaunt.

„Ich will eine Kunst von ihnen lernen, die es mir möglich macht, von diesem Ort zu fliehen," sagte Wieland.

Sein Bruder verstand ihn nicht.

Da erklärte Wieland: „Glaube mir, ich bin ganz wider meinen
30 Willen hier. Daher will ich mir Flügel machen, lieber Bruder. Ich bitte dich, schieße mir alle großen Vögel, die du siehst, und schicke sie mir durch deinen Knaben Isung, denn ich brauche viele Federn."

Gerne versprach Eigel, die Bitte seines Bruders zu erfüllen,

und erzählte ihm, daß König Nidung ihn als Bogenschützen in
seinen Dienst genommen habe.

„Wird das Werk gelingen?" fragte Eigel.

„Ja," rief Wieland. „Aber ehe ich von hier wegfliege, will ich
mich rächen an König Nidung und die Königstochter Bathildis 5
zur Frau gewinnen."

Dann führte er Eigel und seinen Neffen hinaus unter die große
Eiche, wo ein Tisch und eine Bank standen. Hier aßen und
tranken sie und sprachen von der Vergangenheit, als sie noch
glückliche Knaben in ihrem fernen Heimatlande gewesen waren. 10

Am folgenden Tage begann Eigel seinen Dienst. Fast täglich
brachte sein Sohn die geschossenen Vögel auf die einsame Insel.
Wieland arbeitete fleißig, schmiedete kostbare Waffen und baute
ein sonderbares Flügelpaar, das ihn forttragen sollte. Endlich
gelang das Werk. In einer Mondnacht versuchte der Meister die 15
Flügel und siehe — die Flügel trugen ihn wirklich über den See.

Wieland der Schmied

IV

Wielands Rache und Flucht

Als Wieland eines Tages an der Arbeit stand, sah er die zwei Königssöhne vorbeigehen, Knaben in zartem Alter. Da wurde in seinem Herzen der Plan reif, sie zu töten, denn er wußte, das wäre das größte Leid, welches dem König zustoßen konnte.

5 Freundlich lud er die Knaben ein hereinzukommen. Ein wenig furchtsam kamen sie in die Schmiede, denn sie hatten Angst vor dem großen Meister, dessen Gesicht und Arme vom Rauch ganz schwarz waren. Aber Wieland zeigte ihnen eine Menge schöner Sachen, und so wurden sie neugierig. In einer Ecke der Schmiede 10 stand eine große Truhe, die mit einem goldenen Schlüssel verschlossen war.

„Kommt morgen wieder, dann sollt ihr sehen, was darin ist," sagte Wieland. „Aber sagt keinem Menschen, daß ihr hier gewesen seid."

15 Die Knaben versprachen das, und am nächsten Morgen kamen sie schon sehr früh. Wieland stand vor seiner Tür und führte sie in das Innere der Schmiede. Als sie aber vor der Truhe standen, hob er den Deckel auf, stieß die beiden Knaben hinein, machte den schweren Deckel zu und verschloß die Truhe. So fanden die beiden 20 Königskinder ihren Tod.

Meister Wieland begrub ihre Leichname hinter seinem Hause, die Schädel jedoch überzog er mit Gold und machte zwei Becher daraus.

In der Burg wurden die Knaben bald vermißt. Man rief und 25 suchte überall nach ihnen, aber alles war umsonst. Endlich glaubte der König, sie seien im See ertrunken oder von Wölfen gefressen

14

worden. Da trauerte König Nidung, denn er hatte nun keine
männlichen Erben mehr.

Eines Tages kam der König auch in Meister Wielands Haus
und klagte ihm sein Leid. Da sprach der Schmied: „Sieh her,
edler Fürst. In diesen Bechern ruht ein verborgener Zauber.
Trinke täglich deinen Wein daraus, damit die Trauer deines
Herzens weiche." Voll Erstaunen nahm der König die kostbaren
Becher, dankte dem Meister und gebrauchte sie täglich, ohne zu
wissen, woraus sie gemacht waren.

Wenige Wochen später geschah es, daß die schöne Königstochter
Bathildis am Fenster saß und über die Äcker, den See und den
großen Wald hinschaute. Sie spielte dabei mit dem Zauberring
an ihrem Finger, und plötzlich fiel er aus ihrer Hand und zer=
brach. Darüber war sie sehr traurig. Nun kam ihr Meister Wie=
land in den Sinn, und sie ging hinüber auf die Insel, trat in
seine Schmiede und bat: „Kannst du mir den zerbrochenen Ring
wieder zusammensetzen, Meister Wieland?"

Der Schmied sah den Ring genau an und erwiderte: „Ja,
schönste Jungfrau. Morgen um diese Stunde wird er fertig sein."

Am folgenden Tage ging die schöne Bathildis selbst, ihren Ring
abzuholen. Wieland empfing sie an der Tür seines Hauses und
sprach: „Der Ring ist fertig. Setze dich, Königstochter, damit ich
dir seine Geschichte erzähle."

Mit diesen Worten führte er die Prinzessin zu der Bank unter
der Eiche und berichtete ihr, wie er vor Jahren den Ring bei den
Zwergen entdeckt und für seine Braut bestimmt habe, und wie
König Nidung im Wolfstal ihm den Ring geraubt habe.

Mit großem Erstaunen hörte Bathildis die Erzählung des
Schmiedes an.

„Erinnerst du dich an den Tag, als ich kam, um den Siegstein
für deinen Vater zu holen?" fragte Wieland. „Damals versprach
König Nidung mir seine Tochter zur Frau, aber er hat sein
Wort nicht gehalten. Und doch bin ich ein Königssohn, und mein
Name ist bekannt unter allen Helden."

Da errötete Bathildis und sprach: „So will ich meines Vaters Versprechen erfüllen und als dein Weib mit dir gehen."

Nun war Wieland glücklich, denn er hatte nie aufgehört, die schöne Bathildis zu lieben. Er enthüllte ihr seinen Fluchtplan und fragte: „Willst du heute nacht deines Vaters Schloß verlassen, im Walde gegen Osten reiten und auf mich warten?"

„Ja, Wieland, das will ich!" rief Bathildis. „Wo deine Heimat ist, soll auch die meinige sein."

Bald nach dem Besuch der schönen Bathildis kam auch Eigel, der Schütze, in des Bruders Zimmer. Wieland erzählte ihm, was geschehen war, und dann erklärte er ihm seinen Plan: „Morgen früh will ich diesen Ort verlassen, denn meine Flügel tragen mich, wohin ich will. Vorher aber werde ich von dem Dach des Schlosses dem König ein Lebewohl sagen, das ihm wenig gefallen wird. Dann wird er dich, seinen besten Schützen, rufen lassen, mich zu töten. Siehe, hier unter meinen linken Arm binde ich eine Blase voll Vogelblut — darauf sollst du zielen. Sobald der König Blut sieht, wird er glauben, daß ich verwundet bin, und mich verfolgen. In diesem Augenblick reite mit deinem Sohn auf meinem Pferd Schimming gegen Osten in den Wald, wo Bathildis mich erwartet. Dort werde ich euch treffen und mit meiner Frau auf dem Schloß unserer Väter eine neue Heimat gründen."

Eigel freute sich über den guten Plan und rief: „Ich will genau tun, wie du gesagt hast."

Früh am Morgen wurde der König durch ein großes Geschrei erweckt.

„Seht den großen Vogel!" schrien die Wächter im Hofe des Schlosses.

Der König trat hinaus und schaute hinauf. Auf dem Dach saß ein seltsamer, großer Vogel.

„Das ist Wieland, der Schmied," rief der König in größtem Erstaunen.

„Ja, König," sagte Wieland, „ich bin es, Wieland der Schmied, der dein Land verläßt; aber ehe ich fortgehe, will ich dir sagen, wie

Wieland sich gerächt hat für all das Böse, das du ihm getan hast. Auf meiner Insel hinter meinem Haus liegen deine Söhne begraben. Aus ihren Schädeln, die ich mit Gold überzogen habe, trinkst du deinen Wein, und deine Tochter Bathildis, die du mir zum Weibe versprochen hast, erfüllt freiwillig das Wort ihres Vaters. Heute nacht verließ sie deine Burg."

„Du lügst," schrie der König.

Aber in diesem Augenblick kam eine Dienerin und berichtete, daß das Zimmer der Königstochter leer sei.

„Tötet ihn!" befahl der König, dessen Gesicht blaß vor Wut war. „Wo ist Eigel, der Schütze?"

„Hier bin ich," sagte Eigel und trat vor den König.

„Schieße auf den Vogel!" befahl dieser.

„Herr, es ist mein Bruder —" wagte Eigel zu sagen.

„Entweder du schießt, oder du wirst selbst getötet," sagte der König.

Da flog Wieland empor, Eigel zielte, und als das Blut floß, freute sich der König und befahl, den verwundeten Wieland zu verfolgen.

Nun schwang sich Eigel mit seinem Sohn auf Schimmings Rücken und rief: „König Nidung, meinen Bruder wirst du niemals fangen. Er ist nicht verwundet. Du sahst Vogelblut fließen. Wir aber sind gerächt."

Und obgleich König Nidung auch den fliehenden Schützen Eigel verfolgte, konnte er ihn doch nicht erreichen, und hat weder von jenem noch von seinem Schmiede Wieland je wieder etwas gehört.

Wieland aber herrschte auf seines Vaters Burg im Lande Seeland mit seinem schönen Weibe Bathildis, und auch Eigel, sein Bruder, hatte dort eine Heimat gefunden.

Berühmte Deutsche

1. Martin Luther
(1483—1546)

„Ich bin eines Bauern Sohn; mein Vater, Großvater und alle meine Ahnen sind echte Bauern gewesen," erzählt Luther selbst. Sein Vater aber verließ seinen Heimatsort in der Nähe von Eisenach, wahrscheinlich weil er nicht genug verdienen konnte,
5 und wurde Bergmann. Erst arbeitete er eine Zeitlang in Eis= leben, dann ging er nach Mansfeld. In Eisleben wurde ihm am 10. November 1483, also neun Jahre, ehe Kolumbus Amerika entdeckte, sein erster Sohn geboren, der, wie damals üblich war, sogleich getauft wurde. Man nannte ihn nach dem Heiligen dieses
10 Tages Martin. In Mansfeld wuchs Luther unter mehreren Geschwistern auf. Durch harte Arbeit wurde der Vater allmählich etwas wohlhabender und später ein angesehener Mann in der kleinen Stadt.

Luther wurde sehr streng erzogen, aber wahrscheinlich nicht
15 strenger als damals üblich war. Bis zu seinem vierzehnten Lebensjahr besuchte er die Stadtschule in Mansfeld, auf der er schon etwas Latein lernte. Die Schule war so hart wie die Er= ziehung zu Hause, aber wahrscheinlich auch nicht strenger als überall.
20 Luthers Vater war kein ganz gewöhnlicher Mann. Wie er selbst, so sollten auch seine Kinder im Leben vorwärtskommen. In Mansfeld gab es für den jungen Martin nichts mehr zu lernen, deshalb schickte ihn der Vater erst auf die Schule nach Magdeburg, dann ein Jahr später nach Eisenach. Das kostete
25 den Vater viel Geld, aber lange nicht so viel wie heute. Die Schüler mußten ihren Unterhalt zum Teil selbst verdienen.

In Eisenach lernte Luther fleißig Latein. Das war damals notwendig, denn alle gelehrten Bücher wurden in dieser Sprache

18

geschrieben, nicht nur in Deutschland, sondern auch in allen anderen Ländern Europas. Latein war noch keine tote Sprache, sondern wurde von den Gebildeten überall gesprochen. Wenn jemand nach Paris oder Rom oder Madrid reiste und Latein konnte, so fand er immer Leute, die ihn verstanden. Wenn man in Köln ein Buch drucken ließ, so wurde es von den Gelehrten und Gebildeten in Lissabon ebenso gelesen wie in Edinburg und Stockholm. Das war später ein großer Vorteil für Luther.

Aber jene Zeit besaß noch mehr als nur eine gemeinsame Weltsprache. In und mit dieser Sprache hatte sie auch eine gemeinsame einheitliche Kultur, obgleich es damals schon Verschiedenheiten zwischen den Deutschen, Franzosen, Italienern usw. gab. Eine gemeinsame Kultur bedeutet, daß die Völker in ihren Kenntnissen, ihrem Glauben und in den großen Idealen des Lebens nur wenig voneinander verschieden sind. Heute ist das nicht mehr der Fall; die Verschiedenheiten sind viel größer geworden. Diese Einheitlichkeit verdankte das Mittelalter der katholischen Kirche, welche die Völker erzogen hat.

Im Jahre 1501 beendigte Luther die Schule in Eisenach. Sein Vater muß mit ihm zufrieden gewesen sein, denn er erlaubte ihm, die Universität zu besuchen, und schickte ihn nach Erfurt. Erfurt gehörte damals zu den großen Städten in Deutschland. Es besaß einen herrlichen Dom, viele Kirchen und Klöster, und ein frisches Leben herrschte in der Stadt. Seit mehr als hundert Jahren gab es hier auch eine Universität, die in ganz Deutschland berühmt war. Wie die meisten Studenten wurde Luther zuerst Student der Philosophie und blieb es vier Jahre. Während dieser Zeit las er auch gern die alten Klassiker, die römischen Dichter Virgil, Plautus, Ovid und die Schriften Ciceros. Wie damals in den meisten großen Städten, gab es auch in Erfurt einen Kreis von älteren und besonders jüngeren Männern, die diese lateinische Literatur mit großem Vergnügen lasen. Man nannte sie Humanisten. Diese Beschäftigung mit den Klassikern war für Luther ein großer Vorteil. Sie entwickelte seine einge-

borene Liebe zur Sprache. Dabei lernte er seine eigene Sprache
kennen und lieben, denn das lernt man immer am besten an
fremden Sprachen. So wurde er später der gewaltige Sprach=
meister, der die deutsche Sprache so schreiben und sprechen konnte
wie niemand vor ihm.

Nachdem Luther seine philosophischen Studien beendigt hatte,
wünschte der Vater, daß sein Sohn Jurist werden solle. Luther
hatte keine große Lust dazu, aber er gehorchte. Plötzlich im Som=
mer 1505 beschloß Luther in das Augustinerkloster in Erfurt zu
gehen. Während eines Gewitters war er beinahe vom Blitz
getroffen worden. Da fiel er nieder und rief: „Hilf, liebe Sankt
Anna, und ich will ein Mönch werden!"

Im Jahre 1507 wurde Luther Priester. Nun fing er an,
fleißiger die Bibel und die Werke des großen Kirchenvaters
Augustin zu studieren. 1508 wurde er an die neue Universität
Wittenberg berufen. Im Jahre 1512 wurde er Doktor der
Theologie und erhielt den Lehrstuhl für Bibelwissenschaft. Vor=
her hatte er eine fünfmonatliche Reise nach Rom gemacht. Diese
Reise hatte wenig Einfluß auf sein inneres Leben und seine Stel=
lung zur Kirche. Als treuer Sohn der Kirche ist er in die
Heimat zurückgekehrt, aber er hatte in vielen Fragen eine eigene
Meinung.

In der Kirche konnte man damals Abläße kaufen, d.h. man
bezahlte Geld für die Erlaßung zeitlicher Strafen, aber diese
Abläße wurden oft mißbraucht. Luther war sehr dagegen. Er
warnte nicht nur in der Kirche dagegen, sondern er wünschte auch,
daß gelehrte Leute sich darüber aussprechen sollten.

Der erste November, der Allerheiligentag, war das Namens=
fest der Schloßkirche zu Wittenberg. Das war ein großer Festtag,
zu dem viele Leute, auch viele Priester und Mönche, nach Witten=
berg kamen. Die Universität, eng mit der Kirche verbunden,
feierte den Tag auch. Ein gelehrter Professor stellte Thesen, d.h.
Sätze, auf und lud andere Gelehrte ein, darüber mit ihm zu
disputieren. Am Tag vor Allerheiligen, am 31. Oktober 1517,

schlug Luther an die Tür der Schloßkirche 95 lateinische Thesen, in denen er sich gegen den Ablaß wandte.

Als Luther sich weigerte zu widerrufen, wurde er zum Ketzer erklärt, aber sein Kurfürst beschützte ihn. Im Jahre 1521, nach= dem sich Luther auf dem Reichstag zu Worms nochmals geweigert hatte, verhängte der Kaiser die Reichsacht über ihn. Auf der Reise nach der Heimat wurde er heimlich von Leuten seines Kurfürsten auf die Wartburg gebracht. Niemand wußte etwas davon. Selbst die Diener in der Burg kannten den neuen Gast nicht. Viele Leute glaubten, daß Luther tot sei.

Auf der Wartburg schrieb Luther sehr viel, und diese Schriften wurden bald bekannt. Sein wichtigstes Werk aber war die Übersetzung des Neuen Testaments aus dem Griechischen. Es gab schon vor Luther Übersetzungen, aber aus dem Lateinischen und in schlechtem Deutsch. Später hat Luther auch das Alte Testament aus dem Hebräischen übersetzt. Seine gelehrten Freunde halfen ihm dabei. Die erste vollständige Übersetzung der Bibel erschien erst im Jahre 1534.

Im Jahre 1522 kehrte Luther wieder nach Wittenberg zurück, wo er viel predigte. Nun begann die wirkliche Reformation. Luther wohnte wieder in dem Augustinerkloster, das die Mönche nach und nach verließen, und das der Kurfürst ihm später schenkte. Im Jahre 1525 heiratete Luther Katharina von Bora, eine frühere Nonne. Das Familienleben des Mannes, der mit einer ganzen Welt und oft auch mit sich selbst kämpfte, war ruhig und traulich. Außer einigen kleinen Reisen blieb Luther jetzt meist in Wittenberg, wo Tausende ihn besuchten und um Rat baten. Er ist der größte volkstümliche Schriftsteller der Deutschen geworden. Mit ihm beginnt eine neue Periode in der Geschichte der deutschen Sprache.

Luther starb am 18. Februar 1546. Außer seiner Gattin hinterließ er eine Tochter und drei Söhne. Zwei Kinder waren vor ihm gestorben.

Die Bremer Stadtmusikanten

Ein Märchen nach den Brüdern Grimm

Es war einmal ein Mann, dem gehörte ein Esel. Dieser hatte schon viele Jahre die Säcke zur Mühle getragen, ohne je zu klagen, aber seine Kräfte gingen nun zu Ende, weil er zu alt wurde. Da dachte sein Herr daran, ihn loszuwerden, um das Futter zu sparen. Der Esel aber merkte, daß kein guter Wind wehte, lief fort und machte sich auf den Weg nach Bremen. Dort, glaubte er, könnte er ja vielleicht Stadtmusikant werden.

Als er eine Weile gegangen war, fand er einen Jagdhund auf dem Wege liegen, der sehr schwer atmete, als ob er sich müde gelaufen hätte.

„Nun, was tust du denn hier?" fragte der Esel.

„Ach," sagte der Hund, „weil ich alt bin und jeden Tag schwächer werde und auch nicht mehr mit auf die Jagd kann, wollte mich mein Herr totschlagen, also bin ich fortgelaufen. Aber womit soll ich nun mein Brot verdienen?"

„Weißt du was," sprach der Esel, „ich gehe nach Bremen, um Stadtmusikant zu werden. Komm mit und werde auch Musikant! Ich spiele die Laute, und du schlägst die Trommel."

Der Hund war damit zufrieden, und so gingen sie weiter. Es dauerte nicht lange, da saß eine Katze am Weg, die sehr traurig aussah.

„Nun, was ist denn mit dir los?" fragte der Esel.

„Wer kann lustig sein, wenn der Tod vor der Tür steht?" antwortete die Katze. „Weil ich nun in die Jahre komme, wenn die Zähne stumpf werden, und ich lieber hinter dem Ofen sitze als nach Mäusen jage, hat mich die Hausfrau ertränken wollen. Ich bin zwar noch rechtzeitig fortgelaufen, aber nun ist guter Rat teuer. Wo soll ich hin?"

„Begleite uns nach Bremen, du verstehst etwas von der Nacht=
musik, da kannst du auch Stadtmusikant werden."

Der Katze kam das ganz gut vor, und sie ging mit. Darauf
kamen die drei Tiere zu einem Bauernhof, da saß auf dem Tor
ein Hahn und krähte, so laut er konnte.

„Warum schreist du so?" fragte der Esel.

„Morgen zum Sonntag kommen Gäste," sagte der Hahn, „und
die Hausfrau hat der Köchin gesagt, sie wollte mich morgen für
die Suppe haben, und da soll ich mir heute abend den Kopf
abschneiden lassen. Nun schrei' ich aus vollem Halse, solang ich
noch Zeit habe."

„Ei was, du Rotkopf," sagte der Esel, „geh lieber mit uns fort,
wir gehen nach Bremen. Zum Sterben ist immer noch Zeit.
Du hast eine gute Stimme, und wenn wir zusammen Musik
machen, kann es ein großer Erfolg werden."

Der Hahn war damit zufrieden, und so gingen sie alle vier
zusammen fort. Sie konnten aber die Stadt Bremen in einem
Tag nicht erreichen und kamen abends in einen Wald, wo sie über-
nachten wollten. Der Esel und der Hund legten sich unter einen
großen Baum, die Katze kletterte auf den Baum, der Hahn aber
flog bis in die Spitze, weil es da am sichersten für ihn war. Ehe er
einschlief, sah er sich noch einmal nach allen Seiten um. Da
glaubte er, er sähe in der Ferne ein Licht brennen, und rief seinen
Gesellen zu, nicht sehr weit müßte ein Haus sein, denn es scheine
da ein Licht. Da sagte der Esel: „Dann sollten wir uns auf den
Weg machen und hingehen, denn dort ist es besser als hier." Der
Hund meinte, ein paar Knochen und etwas Fleisch daran wären
auch nicht zu verachten.

Also machten sie sich auf den Weg in der Richtung, wo das
Licht herkam, und sahen es bald heller und größer scheinen, bis
sie vor ein hell erleuchtetes Räuberhaus kamen. Der Esel, als
der Größte, näherte sich dem Fenster und schaute hinein.

„Was siehst du?" fragte der Hahn.

„Was ich sehe?" antwortete der Esel. "Einen gedeckten Tisch mit schönem Essen und Trinken, und Räuber sitzen daran."

„Das wäre etwas für uns," sprach der Hahn.

„Ja, ja, ach, wären wir an ihrer Stelle!" sagte der Esel.

5 Nun überlegten die Tiere, was sie tun könnten, um die Räuber hinauszujagen, und fanden endlich ein Mittel. Der Esel mußte sich mit den Vorderfüßen auf das Fenster stellen, der Hund sprang auf des Esels Rücken, die Katze kletterte auf den Hund, und endlich flog der Hahn hinauf und setzte sich der Katze auf den 10 Kopf. Als das geschehen war, fingen sie auf ein Zeichen alle an, ihre Musik zu machen: der Esel schrie, der Hund bellte, die Katze miaute, und der Hahn krähte. Dann stürzten sie durch das Fenster in das Zimmer. Die Räuber sprangen bei dem entsetzlichen Geschrei auf, glaubten, es wäre ein Gespenst, und flohen 15 in größter Furcht in den Wald. Nun setzten sich die vier Gesellen an den Tisch und aßen, als wenn sie vier Wochen lang nichts gehabt hätten.

Als die vier Musikanten fertig waren, machten sie das Licht aus und suchten sich Plätze zum Schlafen, jeder nach seiner Natur. 20 Der Esel legte sich auf einen Haufen Stroh, der Hund hinter die Tür, die Katze auf den Herd in die warme Asche, und der Hahn setzte sich unter das Dach. Weil sie von ihrem langen Weg müde waren, schliefen sie bald ein.

Als Mitternacht vorbei war und die Räuber von weitem sahen, 25 daß kein Licht mehr im Hause brannte und alles ruhig schien, sagte der Hauptmann: „Wir hätten doch nicht fortlaufen sollen," und befahl einem der Räuber, hinzugehen und das Haus zu durchsuchen. Der Räuber fand alles still, ging in die Küche, um ein Licht anzuzünden, und weil er glaubte, daß die feurigen Augen 30 der Katze glühende Kohlen seien, hielt er ein Streichholz daran, um es zu entzünden. Aber die Katze sprang auf und zerkratzte ihm das Gesicht. Da erschrak er sehr, lief fort und wollte durch die Hintertür hinaus, aber der Hund, der da lag, sprang auf und biß ihn ins Bein. Als er über den Hof lief, gab ihm der Esel noch

einen tüchtigen Schlag mit dem Hinterfuß. Der Hahn aber, der
aus dem Schlaf geweckt worden war, rief vom Balken herab:
„Kikeriki."

Da lief der Räuber, so schnell er konnte, zu seinem Hauptmann
zurück und sagte: „Ach, in dem Hause sitzt eine schreckliche Hexe,   5
die hat mir mit ihren langen Fingern das Gesicht zerkratzt. Und
vor der Tür steht ein Mann mit einem Messer, der hat mich ins
Bein gestochen. Auf dem Hof liegt ein schwarzer Teufel, der hat
mich mit einem Stück Holz geschlagen. Und oben unter dem
Dache sitzt der Richter, der rief: ‚Bringt mir den Dieb!'   10
Da bin ich fortgelaufen, so schnell wie ich konnte." Von nun an
wagten sich die Räuber nicht wieder in das Haus. Den vier
Bremer Musikanten gefiel es aber so gut darin, daß sie nicht
wieder herauswollten.

Berühmte Deutsche

2. Albrecht Dürer
(1471—1528)

Albrecht Dürer wurde in Nürnberg geboren. Dort lebte, arbeitete und starb er, aber seine Ahnen kamen aus Ungarn. Es ist jedoch wahrscheinlich, daß seine Voreltern von deutschen Kolonisten abstammten, die durch viele Generationen Bergleute waren 5 oder Vieh züchteten, bis auf Dürers Großvater, der Goldschmied wurde. Dürers Vater, Albrecht Dürer der Ältere, erlernte dasselbe Handwerk. Als junger Mann wanderte er aus, und nachdem er eine lange Zeit in den Niederlanden gelebt hatte, wählte er Nürnberg in Süddeutschland als dauernden Wohnsitz.

10 Nürnberg war damals eine freie Stadt. Es gab dort viele wohlhabende und reiche Bürger und Kaufleute, die die Kunst förderten. Die Goldschmiede waren angesehene Handwerker, und die Kunst blühte. Als der ältere Dürer vierzig Jahre alt war, heiratete er die erst fünfzehnjährige Tochter seines Meisters, dem 15 er zwölf Jahre gedient hatte. Am 21. Mai 1471 wurde dem Ehepaar als drittes ihrer achtzehn Kinder der Sohn Albrecht geboren. Dieser sollte nach des Vaters Plänen auch Goldschmied werden. Eine Zeitlang arbeitete er in der Werkstatt seines Vaters, aber er hatte keine Lust dazu, sondern wollte lieber Maler 20 werden. Sein Vater hinderte ihn nicht, obgleich ihm die verlorene Zeit leid tat. Wir besitzen ein Selbstbildnis von Dürer als Dreizehnjährigem, und einige Jahre später zeichnete er auch seinen Vater.

Als Dürer neunzehn Jahre alt war, ging er, wie damals 25 üblich, auf die Wanderschaft, zuerst nach dem Elsaß, dann nach Venedig, wo er zuerst mit der italienischen Kunst in Berührung kam. Nach vier Jahren kehrte er wieder nach Nürnberg zurück, wo er bald heiratete. Dies war keine Liebesheirat, sondern die Ehe war in der unromantischen Weise früherer Zeiten von den Vätern beschlossen worden, und die Kinder hatten nichts dagegen. Für die Familie Dürer bedeutete diese Heirat die Verbindung mit einer wohlhabenden und auch gesellschaftlich höherstehenden Familie. Es ist viel über die Ehe geredet worden, aber man weiß sehr wenig davon, weil Dürer selbst fast nichts über sie gesagt hat. Jedenfalls war das Verhältnis zwischen Mann und Frau völlig unsentimental.

Dürers Ehe blieb kinderlos. Dennoch hatte er bald für den Unterhalt einer größeren Familie zu sorgen. Im Jahre 1502 starb sein Vater. Nun mußte der Sohn nicht nur für die zärtlich geliebte Mutter, sondern auch für eine Schar jüngerer Geschwister sorgen.

Im Jahre 1505 machte Dürer seine zweite Reise nach Venedig, wo damals die größten Meister tätig waren. Erst nach zwei Jahren kehrte er nach Nürnberg zurück. Die Berührung mit der italienischen Kunst hatte ihn in seiner eigenen Kunst gefördert, ohne daß seine Selbständigkeit dabei im geringsten gelitten hätte. Seine Kunst wie sein Empfinden blieb durch und durch deutsch.

Im Sommer 1520 reiste Dürer mit seiner Frau über Frank=furt und Köln nach Antwerpen und den Niederlanden. Damals dauerte die Reise ungefähr drei Wochen. Dürer wurde überall sehr gefeiert und beinahe wie ein Fürst empfangen.

Dürer war nicht nur der größte deutsche Maler aller Zeiten, sondern er ist zugleich berühmt als Kupferstecher und Zeichner für den Holzschnitt. Sein Werk stand zum großen Teil im Dienste der Kirche und Religion. Außerdem malte er viele Bildnisse be=kannter und berühmter Persönlichkeiten seiner Zeit. Die Viel=seitigkeit in seinem Wesen und Werk ist erstaunlich. Er interes=sierte sich auch für Architektur, Bildhauerei und Festungsbau. Am 6. April 1528 starb er als ein angesehener und wohlhabender Bürger in Nürnberg.

3. Hans Sachs
(1494—1576)

Dürer war zwölf Jahre älter als Luther, Hans Sachs dagegen
elf Jahre jünger. Er wurde am 5. November 1494 in Nürnberg
geboren. Wie fast jeder Bürger dieser reichen Handelsstadt
schickte sein Vater, ein Schneidermeister, seinen siebenjährigen
5 Sohn in die Lateinschule. Dort lernte Hans Lesen und Schreiben, Grammatik, Geographie und Singen, später auch Latein
und etwas Astronomie. Als er acht Jahre später die Schule verließ, war es für den Vater selbstverständlich, daß auch der Sohn
ein gutes Handwerk lernen sollte, und so wurde Hans Lehrling
10 bei einem Schuhmacher.

Damals beschäftigte sich der einfache Bürger, besonders in den
Städten Süddeutschlands, eifrig mit der Kunst des Meisterge-
sangs. Aber diese Dichtkunst wurde wie ein Handwerk getrieben.
Es gab feste Regeln zu befolgen, wenn man ein Gedicht verfaßte.
15 Während seiner zweijährigen Lehrzeit hatte Hans die Bekanntschaft eines eifrigen Meistersingers gemacht und sich von ihm in
den Regeln dieser Kunst unterrichten lassen.

Als er seine Lehrzeit beendigt hatte, ging er, wie damals üblich
war, auf die Wanderschaft, was gewöhnlich mehrere Jahre dau-
20 erte. Zuerst ging er nach dem Süden, wo er in verschiedenen
Orten Österreichs kürzere oder längere Zeit als Geselle gearbeitet
hat. Später ging er dann nach Norden, nach Würzburg und
Frankfurt a. M., und dann zog er weiter auf Wanderschaft den
Rhein entlang bis nach Koblenz und Köln.

25 Nach mehr als fünfjähriger Abwesenheit kehrte er gegen Ende
des Jahres 1516 nach Nürnberg zurück. Er machte zunächst sein
Meisterstück und wurde dann Schumachermeister. Aber ein Meister durfte damals sein Handwerk erst ausüben, wenn er verhei-
ratet war. In seinem fünfundzwanzigsten Lebensjahr heiratete er
30 ein siebzehnjähriges Mädchen. Die Hochzeit wurde nach der Sitte
jener Zeit über eine Woche lang gefeiert. Seine Eltern waren

wohlhabend und gaben dem jungen Paar ein Haus als Hoch=
zeitsgeschenk.

In den ersten Jahren seiner Ehe dichtete Hans Sachs zwar
nicht, aber er studierte desto eifriger. Bald stellte er sich auf
Luthers Seite und verfaßte eine Anzahl Werke, in denen er für
die Reformation kämpfte. Dadurch machte er sich viele Leute zu
Feinden, weil man wohl erkannte, wie ein solches Bekenntnis aus
dem Munde eines einfachen Handwerkers wirken mußte. Da der
Rat der Stadt Nürnberg befürchtete, daß diese Werke die Geister
eher aufregen als beruhigen würden, wurde ihm verboten, weitere
Bücher und Gedichte drucken zu lassen.

Ungefähr um das Jahr 1525 fing der Meister an, seine Werke
niederzuschreiben, und er sammelte auch, was bis dahin von ihm
gedruckt worden war. Unter jedes Werk setzte er das genaue
Datum. Die Reihe seiner Werke, von denen leider die ersten
verloren sind, wuchs bis auf vierunddreißig Bände. Darunter
befinden sich über 4000 Meistergesänge, mehr als 200 dramatische
Werke und beinahe 2000 Spruchgedichte.

Gegen Ende der zwanziger Jahre sang Hans Sachs wieder
eifriger in der Singschule. Die Stoffe nimmt der Dichter direkt
aus dem Leben; er stellt dar, was er auf seinen Wanderungen
gesehen und gehört und was er zu Hause mit klugen Augen
beobachtet hat. Er kennt die Bibel so genau, daß er die Verse
bei jeder passenden Gelegenheit anwenden kann; die Fabeln und
Erzählungen, die Sagen, Märchen und Volksbücher sind ihm
wohlbekannt; er behandelt epische Stoffe des Mittelalters; und
er kennt die alten Griechen und Römer, Homer und Ovid,
Plutarch und Livius, aus Übersetzungen.

Seine größte Bedeutung aber beruht darauf, daß er das
Theater des 16. Jahrhunderts reformiert hat. Er schrieb viele
Tragödien, Komödien und Fastnachtspiele.

Die Harmonie seines Wesens beruhte zum großen Teil auf
dem Frieden und dem Glück, das er in seinem Familienleben
gefunden hatte. Auch wurde er im Laufe der Zeit ziemlich wohl=

habend. Am 19. Januar 1576 starb er, ein Volksdichter im
edelsten Sinne des Wortes. Er spricht die Sprache des einfachen
Mannes, voll schlichter Kraft, klar und verständlich. Sein Werk
ist zwar, wie alle Dichtung des 16. Jahrhunderts, didaktisch und
5 moralisierend, aber voll von natürlichem, gesunden Humor.

Der starke Hans

Ein Schweizer Märchen

Es war einmal eine Frau, und weil sie so groß war, hieß sie die große Beth. Sie hatte nur einen einzigen Sohn, und obgleich er erst sieben Jahre alt war, hieß er schon der starke Hans.

„Wir sind arme Leute," sagte die Mutter eines Tages zu ihm, „darum mußt du früh anfangen zu arbeiten und fremdes Brot essen lernen. Aber die Bauern nehmen nur starke Leute in den Dienst. Geh' also in den Wald und bringe mir so viel Holz, wie du tragen kannst, dann will ich dir sagen, ob du bei fremden Leuten dienen kannst."

Mit traurigem Herzen ging Hans in den Wald, denn er war unglücklich über den nahen Abschied. Aber als er das Holz nach Hause brachte, war es nicht sehr viel. Nun waren er und die Mutter froh, denn er war noch zu schwach und durfte noch weitere sieben Jahre zu Hause bleiben. Als diese um waren, wurde er zum zweiten Male in den Wald geschickt. Jetzt aber war es anders mit ihm. Er riß die Tannen aus, als ob es kleine Pflanzen wären, und trug sie unter dem Arm nach Hause, als wären es Federn.

Jetzt hatte die Mutter für ein ganzes Jahr genug Holz, und Hans konnte sich auf den Weg zum nächsten Bauernhof machen. Da waren schon zwei Knechte im Dienst, und man brauchte eigentlich keinen dritten. Aber Hans wurde dennoch angenommen, denn er verlangte von dem Bauern keinen Lohn, sondern nur, daß er ihm einmal im Jahre eine Ohrfeige geben dürfte.

Die erste Arbeit, bei der er half, war im Walde; man fällte Holz und brachte es nach Hause. Aber der Wagen war schon überladen, und die Pferde konnten ihn nicht von der Stelle bewegen. Da warf Hans die Pferde zu dem Holz auf den Wagen

hinauf und lief damit wie der Wind vor das Haus. Der Bauer
sah es, kratzte sich den Kopf und dachte an die jährliche Ohrfeige.
Aber er sagte kein Wort, sondern setzte sich mit Hans zu Tische.
Das Essen war gut, aber Hans hatte einen so großen Appetit,
5 daß der Bauer sich noch einmal den Kopf kratzte, denn so ein
Knecht würde ihn sicherlich innerhalb eines Jahres von Haus und
Hof essen.

    Nun überlegte er sich, wie er ihn loswerden könnte. „Meine
Frau," sagte er zu ihm, „hat vor einigen Tagen ihren Ring in
10 den Brunnen fallen lassen. Steig' hinunter und hol' ihn wieder
herauf!" Hans tat es. Kaum war er unten, als der Bauer und
seine Knechte eine Menge Steine auf ihn hinunterwarfen. „Jagt
die Hühner dort oben weg," rief eine Stimme von unten, „sie
kratzen Sand in den Brunnen!" Der Bauer sah, daß das nicht
15 half. Er ließ also die große Glocke aus dem Hause holen und sie
in den Brunnen werfen. Er hoffte, daß sie den Hans ganz
zudecken würde. Aber zum zweiten Male kam die Stimme aus
dem Brunnen: „Was für eine schöne Kappe für mich!" Jetzt
blieb dem Bauern nichts übrig, als den großen Mühlstein hinun=
20 terzuwerfen. „Halt!" schrie Hans von unten, „jetzt hab' ich den
Ring; geht mir aus dem Licht dort oben, ich komme." Die
Glocke auf dem Kopfe und den Mühlstein am Ringfinger kam
Hans herauf.

    Der Bauer dachte noch einmal an die jährliche Ohrfeige und
25 gab Hans so viel Geld, als er brauchte, um weiterzureisen. Un=
terwegs traf Hans zwei Kameraden, einen Jäger und einen Fi=
scher. Er wanderte einen ganzen Tag mit ihnen, aber statt Dörfer
und Bauernhöfe fanden sie nichts als ein kleines, sonderbares
Haus, das auf einem Berge stand. Es stand leer und sie über=
30 nachteten darin. Früh am Morgen weckte sie der Hunger, aber
es war nur ein Kessel und ein kleines Stück Fleisch da, und das
war nicht genug für alle drei. Der Fischer sollte es kochen, und
inzwischen gingen der Jäger und Hans in den Wald, um etwas
Besseres zu finden. Der Koch hing den Kessel über das Feuer —

da kam ein kleines, häßliches Weib in das Haus. Sie hatte eine
rote Jacke an und eine kleine Kappe auf dem Kopf und bat um
ein kleines Stück Fleisch. Der Fischer wollte ihr eben ein Stück
abschneiden, da sprang sie ihm auf den Rücken und zerkratzte ihm
das Gesicht. Endlich konnte er sich losmachen und kroch unter
den Ofen. Die Alte ging fort und das Feuer ging aus.

Am Abend kehrten die beiden Kameraden zurück. Sie hatten
glücklicherweise einen Bären getötet, und nun hatten sie mehr als
genug zu essen. Am nächsten Morgen ging der Fischer mit Hans
auf die Jagd, der Jäger bewachte das Haus und bereitete das
Essen. Nun geschah dasselbe wie gestern. Die alte Hexe in der
roten Jacke kam herein, und während der Jäger ihr ein Stück
abschnitt, sprang sie ihm auf den Rücken und zerkratzte ihm das
Gesicht. Endlich warf sie ihn unter den Ofen. Als die beiden
anderen abends nach Hause kamen und nach dem Essen fragten,
lag er immer noch unter dem Ofen.

So kam der dritte Tag. Weder der Fischer noch der Jäger
hatten erzählt, was ihnen passiert war. Jeder freute sich im
geheimen, daß auch die anderen an die Reihe kommen würden.
Heute blieb nun Hans daheim, und der Jäger und der Fischer
gingen in den Wald. Sobald Hans anfing, das Fleisch zu braten,
klopfte das hungrige Weib an die Tür und bettelte um ein Stück.
Hans gab es ihr. Aber als sie ihm auf den Rücken springen
wollte, packte er sie mit einer Hand und schwang sie so lange in
der Luft herum, bis sie nicht mehr atmen konnte. Dann fesselte
er sie und warf sie unter den Ofen, wo die anderen gelegen hatten.
Die beiden Kameraden kamen besonders früh nach Hause. Sie
lachten schon im voraus über die Prügel, die Hans bekommen
haben mußte, aber darin hatten sie sich geirrt.

Hans wollte jedoch von seinem Abenteuer auch einen Vorteil
haben. Er wollte die Hexe nicht freilassen, bis sie ihm ein Geheimnis verraten hätte. Da beschrieb sie ihm eine tiefe Höhle in
demselben Berge, auf dem das kleine Haus stand. Diese Höhle
führte hinunter zu einem wunderbaren Schlosse, worin eine schöne

Prinzessin wohnte. Wer die Drachen besiegte, die sie bewachten, gewönne nicht nur einen großen Schatz, sondern auch die Hand der Königstochter.

Die Hexe begleitete die drei zur Höhle, und dort bestimmten
5 sie durch das Los, wer von ihnen zuerst hinuntergelassen werden sollte. Das Los fiel auf Hans. Unten fand er auch richtig das Schloß, ganz aus Gold und Juwelen, und darin die Prinzessin selbst. Sie gab ihm Wein und Brot, und dadurch wurde er dreimal so stark, als er schon vorher gewesen war. Dann gab sie ihm
10 ein sehr scharfes Schwert, um den Drachen damit zu töten. Dieser kam auch sogleich mit furchtbarem Getöse heran. Aus seinem Rachen kam Feuer. Mit einem Streich schlug ihm Hans den Kopf ab, aber vor dem Feuerstrom sank er leblos zu Boden, bis die Prinzessin kam und ihn mit Wein und Brot erfrischte. Er
15 erwachte aus seiner Bewußtlosigkeit und fühlte sich nun noch dreimal so stark als vorher. Das war auch notwendig, denn sogleich begann das Getöse von neuem, und der zweite Drache kam, noch feuriger und größer als der erste.

Die Prinzessin gab ihm ein noch schärferes Schwert, und der
20 Kampf begann. Das Schloß bebte, Rauch verdunkelte die ganze Luft, aber Hans schlug auf den Drachen ein, daß das Blut in Strömen floß. Er schwang sein Schwert durch die Luft und schlug dem Drachen den Kopf ab. Dann lag er bewußtlos am Boden. Und wieder war die Prinzessin da, stärkte ihn mit Wein
25 und Brot und brachte ihn dadurch wieder zu sich. Dann befahl sie ihren Dienerinnen, ihn in ein gutes, schönes Bett zu bringen, und da ruhte er sich aus und schlief bis zum hellen Morgen.

Jetzt gab ihm die Prinzessin das dritte Schwert, das größer und besser war als alle anderen. Wieder gab ihm die Prinzessin
30 Wein und Brot, so daß er wieder dreimal so stark wurde als vorher. Dann kam der dritte und größte Drache. Volle drei Stunden dauerte der Kampf. Schließlich besiegte ihn Hans. Aber wiederum lag er bewußtlos am Boden. Als es stille geworden war, kam die Prinzessin und küßte ihn so lange, bis er die

Augen aufmachte. Dann sangen die Dienerinnen ein wunder=
bares Lied, liebliche Musik erfüllte das Schloß, und Hans war
unaussprechlich glücklich bei seiner Prinzessin. Am nächsten Tage
feierten sie Hochzeit, lebten glücklich und zufrieden, und wenn sie
nicht gestorben sind, so leben sie noch heute.   5

Berühmte Deutsche

4. Friedrich der Große
(1712—1786)

Über keine der großen Gestalten der Weltgeschichte hat das Urteil der Nachwelt so geschwankt wie über Friedrich den Großen. Auf eine Periode, in der sein Andenken beinahe vergessen schien, ist eine Zeit gefolgt, in der sein Stern immer heller leuchtet.

5 Einst in den Tagen seiner Siege war Friedrich der Held des deutschen Volkes, aber bald nach seinem Tode brachte die französische Revolution einen neuen Helden hervor, Napoleon, der selbst in Deutschland vielfach an Friedrichs Stelle trat. Erst seit den dreißiger Jahren des letzten Jahrhunderts ist das Interesse

10 an seinem Leben und Wirken wieder lebendig geworden.

Friedrich der Zweite oder der Große war der Enkel des ersten Königs von Preußen. Er wurde am 24. Januar 1712 geboren, nachdem vorher zwei ältere Brüder gestorben waren. Sein Vater, Friedrich Wilhelm I., wollte ihn genau so erziehen, wie er selber

15 erzogen worden war: er sollte ein guter Christ, ein guter Soldat und ein guter Fürst werden. Aber der Sohn hatte keine Lust dazu, er interessierte sich für Kunst, Musik und Literatur; anstatt des einfachen, strengen Lebens liebte er den Luxus und machte viele Schulden.

20 In seiner Jugend hatte er eine Gouvernante und später einen Privatlehrer, die beide aus französischen Familien stammten, und die um ihres Glaubens willen ihre Heimat hatten verlassen müssen. Von ihnen stammt seine große Liebe für alles Französische. Dies war der Grund, warum er seine deutsche Mutter-

25 sprache nie ordentlich sprechen und schreiben lernte und selten deutsche Bücher las. Auf Veranlassung seines Vaters bekam er

36

gar keinen Unterricht in deutscher Literatur, andrerseits las er
jedes französische Buch, das er in die Hand bekommen konnte.

Der Konflikt zwischen Vater und Sohn wurde noch schlimmer
durch den Streit wegen der geplanten Heiraten mit dem eng=
lischen Königshause. Die Königin verfolgte mit großem Eifer 5
den Plan einer Doppelheirat, die dem Prinzen von Wales die
Hand ihrer Tochter Wilhelmine geben und den Kronprinzen
Friedrich mit einer englischen Prinzessin vermählen sollte. Eng=
land hatte dabei das Ziel im Auge, Preußen von Österreich zu
sich hinüberzuziehen. Aber der König wollte von irgendeinem 10
politischen Preis für jene Familienallianz nichts wissen. Der
Sohn stand ganz auf Seite seiner Mutter, denn er hoffte, durch
die Heirat eine unabhängige Stellung zu gewinnen.

Der König wurde nun so erbittert, daß er den Kronprinzen
körperlich mißhandelte. Da dieser auf keine Änderung seiner Lage 15
hoffen konnte, beschloß er auf einer Reise nach Süddeutschland im
Jahre 1730, nach England zu fliehen. Aber ein aufgefangener
Brief Friedrichs an seinen Freund Katte entdeckte dem König den
ganzen Plan. Nun war sein Vater noch tiefer verwundet, nicht
nur in seinem Gefühl als Vater, sondern auch in seinem Stolz 20
als König und in seiner Ehre als Soldat. Friedrich erschien ihm
nicht bloß als der verlorene Sohn, sondern auch als ein ehrloser
Offizier, der zu desertieren versucht hatte. Als Gefangener wurde
er auf das Schloß in Küstrin gebracht. Man hat geglaubt, daß
der König zuerst seinen Sohn mit dem Tode bestrafen wollte, 25
aber wahrscheinlich hat er nur gefordert, daß Friedrich seine Rechte
auf den Thron aufgebe. Friedrich wurde jedenfalls gezwungen,
aus dem Fenster seiner Festung zuzusehen, wie sein geliebter
Freund Katte mit dem Schwerte getötet wurde.

Nun war der Mut des Prinzen gebrochen, und er bat den 30
König um Verzeihung. Er beschloß zu beweisen, daß der Staat
Preußen in guten Händen sein würde, wenn er König werde.
Ernst und eifrig fing er an, im Dienst des Staates zu arbeiten.
Jetzt wurde seine Lage etwas leichter. Er durfte wieder den Titel

eines Kronprinzen von Preußen führen, und später wurde er auch
wieder Offizier und bekam ein Regiment, wodurch er viel über
den Dienst im preußischen Heere lernte.

Gegen seinen eigenen Willen, nur auf Wunsch seines Vaters,
heiratete Friedrich im Jahre 1733 Elisabeth von Braunschweig.
Dies war der zweite Triumph der österreichischen Politik am
preußischen Hofe. Nun wurde sein Vater ihm freundlicher gesinnt
und kaufte ihm das Schloß Rheinsberg, damit er seinen eigenen
Haushalt führen könne. Hier verlebte Friedrich vier glückliche
Jahre. Zum erstenmal hatte er Gelegenheit, sein eigenes Leben
zu führen und sich seine Umgebung nach Wunsch auszusuchen.
Hier versammelte er Dichter, Gelehrte, Künstler, Musiker usw.
um sich. Nur beim Mahl und abends bei Konzert, Theater oder
Bällen vereinigte sich die Gesellschaft, bei der auch die Damen
nicht fehlten; sonst durfte jeder die Tagesstunden zubringen, wie
er es wünschte. Friedrich selbst stand morgens um vier Uhr auf
und studierte bis Mittag Philosophie und Literatur. Oft saß er
noch weit bis nach Mitternacht über den Büchern. Die poetischen
Versuche, alle in französischer Sprache, und die vielen Briefe, die
er mit auswärtigen Freunden wechselte, ließen ihm doch noch Zeit
zu ernsten politischen Arbeiten. In diesen Jahren wird man die
Wurzeln seiner künftigen Größe suchen müssen.

Zu dieser Zeit begann auch der Briefwechsel mit Voltaire, dem
berühmtesten französischen Dichter seiner Zeit, der dann über
vierzig Jahre lang mit einigen Unterbrechungen bis zu Voltaires
Tode im Jahre 1778 gedauert hat. Mehr als 600 Briefe wurden
zwischen ihnen gewechselt. Später lebte Voltaire sogar beinahe
drei Jahre (1750–1753) als Friedrichs Gast im Schloß Sans=
souci.

Die glücklichen Jahre in Rheinsberg, in denen Friedrich „wie
ein Mensch" leben konnte, vergingen nur zu schnell. Friedrich
war erst achtundzwanzig Jahre alt, als er am 31. Mai 1740 am
Sterbebett seines Vaters stand und selber König von Preußen
wurde. Nun begann der wirkliche Ernst des Lebens, aber Fried=

rich stand in der Blüte seiner Jahre, geistig und körperlich in der
Fülle seiner Kraft. Von nun an forderte die Pflicht gegen sein
Volk den ganzen Mann:

> Von nun an dien' ich keinem Gott
> Als meinem lieben Volk allein.
> Lebt wohl, ihr Verse, du Musik,
> Und alle Freuden, auch Voltaire,
> Mein höchster Gott ist meine Pflicht.

Er beklagt die Kürze des Tages, der ihm vierundzwanzig
Stunden zu wenig zu haben scheint: „Ich arbeite mit beiden
Händen, mit der einen für die Armee, mit der anderen für das
Volk und die schönen Künste."

Man erwartete jetzt eine Zeit des Friedens, aber schon im
Herbst desselben Jahres, nämlich 1740, fing der erste Schlesische
Krieg an, der beinahe zwei Jahre lang dauerte. Zwei Jahre
später begann der zweite Schlesische Krieg, der über ein Jahr
später beendet wurde. Darauf gab es zehn Jahre Frieden, bis
der dritte Schlesische oder Siebenjährige Krieg (1756—1763) aus=
brach. Friedrich mußte gegen Österreich, Rußland, Schweden,
Frankreich und die wichtigsten Fürsten des Deutschen Reiches
kämpfen. Oft schien es, als ob er den Krieg verlieren würde,
aber schließlich behauptete er sich doch gegen die bedeutendsten
Mächte Europas.

Der Krieg hatte der preußischen Monarchie 125 Millionen
Taler gekostet, aber Friedrich hatte keinen materiellen, sondern
nur einen idealen Gewinn davon. England hatte den größten
Vorteil, denn es bekam die wichtigsten französischen Kolonien in
Amerika. Aber ohne diese Kämpfe hätte Preußen nie die Rolle
spielen können, die es in der Zukunft spielen sollte. Hätte
Friedrich den Krieg verloren, so würden seine Gegner wahrschein=
lich ganz Preußen unter sich verteilt haben.

Während des langen Friedens, der nun folgte, versuchte Fried=
rich auf alle Weise den Wohlstand seines Landes zu heben. Er

gründete Kolonien, förderte den Ackerbau, indem er Obstbäume und Kartoffeln pflanzen ließ, und verbesserte die Lage der Bauern gegen den Willen des Adels. Zu gleicher Zeit förderte er Handel und Industrie. Auf alle fremden Waren wurden Zölle gelegt, und Kaffee und Tabak wurden monopolisiert.

Friedrichs Prinzip war immer: Der Fürst ist nicht der absolute Herr, sondern nur der erste Diener seines Volkes. Der große König starb im Jahre 1786. Da seine Ehe kinderlos geblieben war, wurde der Sohn seines ältesten Bruders sein Nachfolger als Friedrich Wilhelm II. von Preußen.

Der verborgene Schatz

In einer kleinen Stadt lebte vor Jahren ein angesehener und geachteter Bürger namens Hernot. Obwohl nicht gerade reich, war er doch recht wohlhabend. Er hatte sein eigenes Heim, eine reizende Frau und brave Kinder. Er hatte nicht nur sein eigenes Geschäft, sondern war außerdem Direktor einer Bank. Er lebte genau nach dem Buchstaben des Gesetzes, aber andrerseits war er auch ein sehr praktischer Geschäftsmann. Man kann wohl sagen, daß er in dieser kleinen Stadt der Gegenstand allgemeinen Neides war. Man hielt ihn für einen außerordentlich glücklichen und zufriedenen Menschen.

Eines Tages saß Herr Hernot an seinem Pult im Büro, als ihm ein unbekannter Mann gemeldet wurde. Herr Hernot war etwas erstaunt, aber er ließ den Mann, einen Fremden mit schwarzem Bart, eintreten. Als der Fremdling die Tür hinter sich geschlossen und Herrn Hernot gegenüber Platz genommen hatte, sah er sich erst noch einmal um, wie um gewiß zu sein, daß niemand der Unterhaltung zuhören konnte. Er schien sehr nervös und drehte immer einen Daumen um den anderen. Dann sagte er mit gedämpfter Stimme: „Ich will offene Karten mit Ihnen spielen. Ich war zwei Jahre im Gefängnis und bin kürzlich entlassen worden. Hier ist mein Entlassungsbrief." Und damit reichte er Herrn Hernot ein Dokument.

Herr Hernot sah den Besucher erstaunt an, dann setzte er seine Brille auf und las das Schriftstück.

„Sie sind erst vor drei Tagen entlassen?" fragte er.

Der andere nickte.

„Gleich nach meiner Entlassung bin ich hierher gereist. Im Gefängnis habe ich einen Mann kennengelernt, der noch drei Jahre sitzen muß. Er heißt Armand und hat früher in dieser Stadt gewohnt. Ich selbst bin zum erstenmal hier."

Er hatte schnell und nervös gesprochen und nahm jetzt ein zweites Schriftstück aus der Tasche.

„Dies ist ein Brief von meinem Kameraden," sagte er, „lesen Sie den, dann wissen Sie sogleich, um was es sich handelt."

5 Herr Hernot las, erst etwas langsam, aber dann mit wachsen= dem Interesse den Brief, den der andere ihm gereicht hatte. Als er damit fertig war, nahm er seine Brille ab, reinigte sie, setzte sie wieder auf und sagte langsam: „Ich weiß nicht, wie ich Ihnen oder Ihrem Freunde helfen könnte."

10 Der Besucher antwortete eifrig: „Ich bin gekommen, um Ihnen die Sache näher zu erklären, und ich hoffe, daß Sie mich anhören werden. Wie sie gelesen haben, hat Armand einige Jahre an diesem Ort gewohnt. Das Geld, von dem er schreibt, stammt nicht aus Diebstählen. Er hat mir alles erzählt. Er hat es im 15 Spiel gewonnen. Aber er fürchtete, daß es ihm gestohlen werden könnte. Deshalb hat er den ganzen Besitz in dem kleinen Haus vergraben, in dem er wohnte. Er hat mir den Platz genau be= schrieben, wo er liegt. Der Schatz hat also nichts zu tun mit der Sache, wegen der er jetzt im Gefängnis sitzt. Das war ein Streit 20 mit einem Kameraden, den er mit einem Messer schwer ver= wundete ... Ich habe mir das Haus heute genau angesehen. Es ist bewohnt, und ich möchte es gern kaufen. Deshalb bin ich zu Ihnen gekommen."

Er sah Herrn Hernot einen Moment an und fuhr dann fort: 25 „Ein Drittel für Sie, ein Drittel für Armand und ein Drittel für mich. Was meinen Sie zu diesem Vorschlag?"

„Es tut mir leid," erwiderte Herr Hernot, „aber darauf kann ich nicht eingehen. Erstens habe ich nicht den geringsten Beweis für die Wahrheit Ihrer Erzählung, zweitens habe ich keine Lust, 30 mit Ihnen und Ihrem Freund Geschäfte zu machen. Außerdem möchte ich erwähnen, daß ich das ganze Unternehmen für ziemlich fragwürdig halte. Gestatten Sie!"

Er griff nach dem Klingelknopf. Der andere war aufgestanden. „Wie Sie wollen," sagte er.

Aber Herr Hernot war noch nicht zu Ende. „Ich möchte Ihnen den Rat geben," sagte er streng, „so schnell wie möglich die Stadt zu verlassen. Ich erinnere mich sehr genau an den Fall Ihres Freundes Armand, und als guter Bürger dieser Stadt fühle ich mich verpflichtet, die Polizei über alle Personen wie Sie und Ihre Freunde zu unterrichten, weil sie eine Gefahr für die anständigen Bürger bedeuten."

„Ist das eine Warnung?" lachte der andere.

„Gewiß," erklärte Herr Hernot kühl. Da erschien der Bürodiener, und der Fremde verließ schweigend das Zimmer.

Am nächsten Morgen telephonierte Herr Hernot an die Polizei und erhielt den Bericht, daß sein Besucher abgereist sei. „Wir wußten von ihm," sagte der Polizeiinspektor, „und haben ihn im Auge behalten."

Aber Herr Hernot tat an diesem Morgen noch mehr. Er telephonierte mit dem Direktor des Gefängnisses in R. und erfuhr, daß dort wirklich ein Gefangener namens Armand wäre.

Nachmittags machte er einen Spaziergang durch eine Gegend, in die er sonst selten kam. Bald fand er die Straße und das Haus, von dem sein Besucher gesprochen hatte. Es war wirklich bewohnt. Von außen sah es recht gewöhnlich aus, alt und in ziemlich schlechtem Zustande. Neben dem Haus lag ein kleiner Garten mit Erbsen, Bohnen und anderem Gemüse. Dahinter war ein kleiner Bach, in dem Gänse schwammen.

In den nächsten Tagen kam Herr Hernot noch mehrmals in die Gegend. Wie mit magischer Kraft zog es ihn immer wieder dorthin. Es schien sonderbar, daß dieses Häuschen, inmitten von anderen gewöhnlichen Häusern, das Geheimnis des Gefangenen bergen sollte. Und schließlich trat er ein und begann eine Unterhaltung mit einer alten Frau, die gerade Kleider wusch.

Es ist sonderbar, was der Goldhunger aus einem Menschen machen kann, wenn er einmal geweckt ist. Nachdem Hernot nicht länger befürchten brauchte, daß sein unerwünschter Besucher zurückkehren könnte — die Polizei hatte ihn völlig beruhigt —

wuchs langsam in ihm der Wunsch, Eigentümer des Häuschens
zu werden.

Er besuchte die Frau noch einmal und bat sie, seine Wäsche zu
waschen. Dann wiederholte er den Besuch, und bei dieser Gelegen=
5 heit fragte er die Frau, ob sie nicht ihr Häuschen verkaufen
möchte. Sie schüttelte den Kopf und begann von etwas anderem
zu sprechen. Aber Herr Hernot kam immer wieder darauf zurück,
und jedesmal bot er ihr eine größere Summe. Als sie immer
wieder ablehnte, wurde er eigensinnig. Endlich bot er eine lächer=
10 lich hohe Summe.

Jetzt nahm sie das Angebot an. Sie zog aus und verließ die
Stadt. Hernot war den ganzen Tag in den drei Zimmern und
im Garten beschäftigt. Müde und schmutzig kam er nach Hause,
und auch den folgenden Tag. Er hatte im Garten und im Keller
15 gegraben. Am dritten Tag erhielt er einen Brief, der wie folgt
lautete:

„Sehr geehrter Herr!

Erlauben Sie mir, Ihnen im Namen meiner Mutter, die
jetzt bei mir ist, meinen herzlichsten Dank auszusprechen. Durch
20 den Kauf ihres Hauses haben Sie ihr das Leben sehr erleichtert.
PS. Weiteres Suchen ist nutzlos. Es ist nichts da."

Berühmte Deutsche

5. Otto von Bismarck
(1815—1898)

Wie man die ersten fünfzehn Jahre des neunzehnten Jahr=
hunderts das Zeitalter Napoleons, etwa die folgenden dreißig
das Zeitalter des Fürsten Metternich nennen kann, so könnte
man die darauffolgenden vierzig Jahre dieser bedeutungsvollen
Zeit als das Zeitalter des Fürsten Bismarck bezeichnen.   5

Bismarck wurde am 1. April 1815, im Jahr des Wiener
Kongresses, zu Schönhausen, hundert Kilometer westlich von Ber=
lin, geboren. Die Familie gehörte dem alten Adel an, der schon
seit dem dreizehnten Jahrhundert, also noch vor den Hohenzollern,
hier wohnhaft war. Der Vater, ein reicher und tapferer Offizier,   10
wurde im Kriege gegen die französische Revolution verwundet
und lebte danach auf seinen Gütern. Die Mutter, achtzehn Jahre
jünger als ihr Mann, war nicht von Adel, sondern stammte aus
einer Leipziger Professorenfamilie. Als der kleine Bismarck sechs
Jahre alt war, kam er zur Erziehung nach Berlin, zuerst in ein   15
Privatinstitut, später auf das Gymnasium. Im Alter von sieb=
zehn Jahren verließ er Berlin und besuchte die Universität
Göttingen, wo er Jurisprudenz studierte, damals das einzig
mögliche Studium für einen Edelmann. Er hätte viel lieber sei=
nem Vaterlande als Offizier gedient, aber weil sein Vater im   20
Kriege verwundet worden war, bestand seine Mutter darauf, daß
er Beamter in der Regierung würde. Sie dachte sich, daß er später
Diplomat werden sollte.

In Göttingen verbrachte Bismarck drei glückliche und interes=
sante Semester. Hier verkehrte er unter anderen auch mit einer   25
Gruppe von Amerikanern, von denen John L. Motley, der
spätere Diplomat und Geschichtschreiber, sein guter und treuer

45

Freund wurde und auch geblieben ist. Im Jahre 1833 kehrte
Bismarck nach Berlin zurück, bestand zwei Jahre darauf das
erste juristische Examen und wurde dann Beamter. Aber dieses
Bürokratenleben machte ihm keine Freude. Er gab seinen Beruf
5   auf, übernahm die Verwaltung der väterlichen Güter und wurde
Landwirt. Hier fühlte er sich frei und glücklich.

Nachdem Bismarck einige Jahre Mitglied des preußischen
Landtages gewesen war, wurde er im Jahre 1851 als preußischer
Gesandter nach Frankfurt a. M. zum Bundestag, dem Parla-
10   ment des Deutschen Bundes, geschickt. Das größte Problem
Deutschlands seit der Zeit Friedrichs des Großen war der Dualis-
mus und die Rivalität zwischen Preußen und Österreich. Bismarck fühlte sich als Preuße und hatte den eisernen Willen, für
Preußen die führende Stellung in Deutschland zu gewinnen.
15   Sehr bald erkannte er, daß nur ein Krieg diese Frage würde lösen
können.

Da Prinz Wilhelm, der Regent von Preußen, nicht mit Bis-
marcks Plänen sympathisierte, kam er im Jahre 1859 als Gesandter nach Petersburg, dem heutigen Leningrad. Bald war er
20   beim Zaren und bei Hofe sehr beliebt. Eine der Hauptfragen
dieser Zeit war die Einigung Italiens. Die preußischen Konservativen, die Kriegspartei und der Prinzregent wollten Österreich gegen Frankreich und Sardinien helfen, aber Bismarck war
dagegen. Preußen konnte dadurch nichts gewinnen, aber viel
25   verlieren. Außerdem war es Bismarck ganz recht, wenn Österreich seine italienischen Provinzen verlor. Aber noch ehe es zu
einem Einverständnis zwischen den beiden Staaten kam, hatte
Österreich schon den Krieg verloren.

Im Jahre 1861 wurde der Prinzregent König von Preußen
30   als Wilhelm I. Der König, der sich als Soldat und Offizier
fühlte, erkannte klar die großen Mängel des preußischen Heeres.
Er wußte, daß die Armee nicht stark genug war, um Österreich zu
besiegen. Er beschloß deshalb die Durchführung einer Militär-
reform, welche die Armee vergrößern sollte, aber die liberalen

Parteien im Parlament waren dagegen und weigerten sich, die Kosten dafür zu bewilligen. Dadurch kam es zu einem ernsten konstitutionellen Konflikt zwischen König und Parlament.

Jn dieser schwierigen Lage wurde Bismarck, der inzwischen Gesandter in Paris gewesen war, Ministerpräsident und Minister der auswärtigen Angelegenheiten. Mit eisernem Willen setzte er nun, gegen den Willen des Parlamentes, die Reformen in der Armee durch und regierte ohne Budget weiter. Er wußte, daß das Heer und die Beamten dem König treu bleiben würden, und das Volk bezahlte die Steuern auch ohne die Bewilligung des Parlamentes. Trotzdem stand er vereinsamt da, denn alles war wider ihn: Parlament und Volk, Presse und Jntelligenz, selbst eine starke Hofpartei mit der Königin an der Spitze. Hinter sich hatte Bismarck nur die Krone, die ihm freilich genügte. Diese Frage wurde schließlich durch mehrere erfolgreiche Kriege gelöst.

Jm Jahre 1863 versuchte Dänemark die beiden Herzogtümer Schleswig und Holstein zu annektieren. Jn ganz Deutschland erhob sich ein stürmischer Protest dagegen. Am 6. Januar 1864 überreichten Preußen und Österreich ein Ultimatum an Dänemark, und als dieses zurückgewiesen wurde, erklärten sie den Krieg. Bismarck hatte recht gehabt: das erneute preußische Heer kämpfte ausgezeichnet. Nach einem kurzen, erfolgreichen Kriege kam es im Oktober zum Frieden von Wien, in dem Dänemark die beiden Herzogtümer an Preußen und Österreich abtrat. Eines seiner Ziele für die Herzogtümer sah Bismarck erfüllt: los von Dänemark! Nun fehlte noch die Erfüllung des zweiten: die Vereinigung mit Preußen.

Die Rivalität zwischen Preußen und Österreich dauerte fort. Auch konnte man sich über die Teilung der beiden Herzogtümer nicht einigen. Bismarck wollte diese Frage auch nicht durch den Bundestag entscheiden lassen, und so führte dieser Konflikt schließlich im Jahre 1866 zum Kriege. Das Ausland blieb neutral, aber die meisten deutschen Fürsten kämpften auf Habsburgs

Seite. Trotzdem gewann Preußen in wenigen Wochen einen
glänzenden Sieg über das österreichische Heer bei Königgrätz
(Sadowa). Das Hannoversche Heer wurde gefangen, Frankfurt
besetzt, Bayern, Württemberg und Hessen besiegt.

5   Bald darauf wurde der Frieden von Prag geschlossen. Bismarck wollte Österreich nicht erbittern, denn er hoffte auf ein
späteres Bündnis. Deshalb verlangte er kein Land von Österreich. Aber Schleswig-Holstein, Hannover, Hessen und Frankfurt wurden Preußen einverleibt, und die übrigen Staaten bilde-
10   ten mit Preußen den Norddeutschen Bund. Österreich verlor mit
der Auflösung des Deutschen Bundes seinen Einfluß, besonders in
Süddeutschland. Zwischen Preußen und den süddeutschen Staaten wurde dagegen ein Bündnis gegen Frankreich geschlossen.
Bismarck selbst wurde zum Grafen erhoben und wurde Bundes-
15   kanzler.

In Frankreich herrschte Napoleon III., ein Neffe des ersten
Napoleon. Er strebte danach, unter den Fürsten Europas die
erste Rolle zu spielen. Als Preußen durch den Krieg von 1866
groß und mächtig wurde, während Napoleons eigene Stellung
20   immer unsicherer wurde, verlangte er von Preußen die Einwilligung zur Abtretung des gesamten bayrischen, hessischen und preußischen linken Rheinufers. Als Preußen statt dessen das Bündnis
mit den süddeutschen Staaten schloß, wartete Napoleon nur auf
eine günstige Gelegenheit, den Krieg zu erklären. Bismarck war
25   nicht gegen den Krieg, denn er wußte, daß Deutschland nur durch
einen Sieg über Frankreich geeinigt werden könne.

Eine unbedeutende Episode in der spanischen Thronfolge brachte
den Stein ins Rollen. Die Spanier hatten einem süddeutschen
Prinzen von Hohenzollern die Krone des Landes angeboten, und
30   der Prinz hatte angenommen. Da ging ein Sturm der Entrüstung durch ganz Frankreich, und im Juli 1870 führte dies
schließlich zum Kriege. Aber nicht nur Preußen und die Staaten
des Norddeutschen Bundes, sondern auch die süddeutschen Staaten
kämpften gegen Frankreich. In wenigen Wochen wurde die fran-

zöfische Armee bei Sedan besiegt, und später fiel auch die Haupt=
stadt Paris.

Nach dem Frieden von Frankfurt mußte Frankreich Elsaß und
das östliche Lothringen an den Sieger abtreten und fünf Milliar=
den Francs Kriegsentschädigung zahlen. Schon vor dem Frieden,
am 18. Januar 1871, wurde das neue „Deutsche Reich" prokla=
miert und der König von Preußen zum Deutschen Kaiser erhoben.
Bismarck wurde Reichskanzler. Er stand jetzt auf der Höhe
seines Erfolges und wurde von seinem Kaiser zum Fürsten
ernannt.

Beinahe zwanzig Jahre lang blieb Bismarck Kanzler des neuen
Reiches. In der Diplomatie zeigte er sich als Meister, aber er
hatte auch viele andere schwere Fragen zu lösen. Einerseits kam
es zu einem Konflikt mit der katholischen Kirche, dem sogenannten
Kulturkampf, der schließlich mit einem Kompromiß endete. An=
drerseits führte Bismarck einen bitteren Kampf gegen die Sozia=
listen. Es wurden aber auch viele Gesetze über soziale Versicherung
unter ihm erlassen.

Im Jahre 1888 wurde der jugendliche Wilhelm II. Deutscher
Kaiser, der sehr bald mit Bismarck in Konflikt kam. Im Jahre
1890 wurde der Kanzler entlassen, ein bitter enttäuschter Mann.
Er starb am 30. Juli 1898 in Friedrichsruh bei Hamburg.

Berühmte Deutsche

6. Ludwig van Beethoven
(1770—1827)

Als Goethe einundzwanzig Jahre alt war, im Dezember 1770, wurde Beethoven in Bonn am Rhein geboren. Schon sein Vater und Großvater waren bekannte Musiker am Hofe des Kurfürsten von Köln. Beethovens Jugend war sehr traurig, denn sein Vater
5 war dem Trunk ergeben und brachte seine Zeit immer mehr im Wirtshaus zu, bis er im Jahre 1789 seine Stellung verlor. In diesem Jahre bekam Ludwig eine Stellung im Orchester und wurde später auch Hoforganist. Er bekam die Hälfte von seines Vaters Gehalt, hundert Taler.

10 Schon früh bekam Ludwig Musikunterricht, zuerst von seinem Vater und später von einigen anderen Lehrern. Als er siebzehn Jahre alt war, machte er eine Reise nach Wien, hauptsächlich um Mozart kennenzulernen und seinen Unterricht zu genießen. Diesen Zweck erreichte er auch, doch dauerte der Verkehr mit Mozart nur
15 kurze Zeit, denn die Nachricht von einer schweren Erkrankung seiner Mutter zwang Beethoven, nach Bonn zurückzukehren. Er kam früh genug, um die geliebte Mutter noch einmal zu sprechen, aber bald darauf starb sie. Die Sorge für seine zwei jüngeren Brüder sowie für eine kleine Schwester, die bald starb, lag nun
20 hauptsächlich auf Ludwig.

Als Klavierspieler hatte Beethoven schon in Bonn die Aufmerksamkeit auf sich gezogen. Als Joseph Haydn im Jahre 1792 bei der Rückkehr von seiner ersten englischen Reise nach Bonn kam, wurde Beethoven ihm vorgestellt. Seine Kompositionen
25 machten solchen Eindruck auf Haydn, daß er Beethoven einlud, nach Wien zu kommen, wo er ihm selbst Unterricht geben wollte.

Der Gedanke, Beethoven nach Wien einzuladen, ist indes kaum

50

von Haydn allein ausgegangen. Wahrscheinlich hatte der Kur=
fürst den berühmten Komponisten gebeten, Beethoven einzuladen,
denn er wollte den begabten jungen Mann fördern. Der Kur=
fürst war es auch, der Beethoven diese Studienreise — denn nur
dies war zuerst beabsichtigt — ermöglichte. Er ließ ihm sein
Gehalt als Hoforganist weiter bezahlen. Anfang November kam
Beethoven in Wien an und begann auch wirklich das Studium
bei Haydn, der jedoch den Unterricht etwas leicht genommen zu
haben scheint. Ohne seine Besuche bei Haydn aufzugeben, stu=
dierte er auch bei einigen anderen Meistern.

Der Schulunterricht, den Beethoven in Bonn genossen hatte,
scheint sehr mangelhaft gewesen zu sein, denn das Wissen, das er
nach Wien mitbrachte, war erstaunlich gering. Auch fehlte es ihm
gänzlich an gesellschaftlichen Manieren. Trotzdem wurde er in
Wien bald in die vornehmste Gesellschaft aufgenommen, denn
musikalisches Talent öffnete bei dem österreichischen Adel alle
Türen. Es scheint, daß Beethoven einen Versuch gemacht hat,
diese Mängel zu beseitigen. So hören wir, daß er sich nach einem
Tanzmeister umsah, daß er in wissenschaftlichen Fächern Unter=
richt nehmen wollte und großen Wert auf seine Kleider legte. Das
Interesse für Literatur und gute Lektüre scheint schon in Bonn in
ihm erweckt worden zu sein und ist auch später immer lebendig
geblieben.

In Wien wurde Beethoven sehr bald gezwungen, sich ganz auf
eigene Füße zu stellen. Der Kurfürst von Köln wurde durch die
französische Revolution vertrieben, und so hörte das Gehalt als
Hoforganist, das schon im ersten Jahr des Wiener Aufenthaltes
ganz unregelmäßig ankam, von 1794 an vollständig auf. Es
wurde Beethoven aber nicht schwer, selbst für seinen Unterhalt zu
sorgen, denn er gab eine ziemliche Anzahl gut bezahlter Unter=
richtsstunden, und außerdem bekam er immer mehr Bestellungen
von Verlegern. Im Jahre 1800 schrieb er einem Freunde: „Von
meiner Lage willst Du was wissen; nun, sie wäre eben so schlecht
nicht. Seit vorigem Jahr hat mir Lichnowsky . . . eine sichere

Summe von 600 Gulden ausgeworfen, die ich, so lange ich keine
für mich passende Anstellung finde, ziehen kann; meine Komposi=
tionen tragen mir viel ein, und ich kann sagen, daß ich mehr
Bestellungen habe, als fast möglich ist, daß ich befriedigen kann.
5 Auch habe ich auf jede Sache sechs, sieben Verleger und noch mehr,
wenn ich mir's angelegen sein lassen will: man akkordiert nicht
mehr mit mir, ich fordere und man zahlt. Du siehst, daß es eine
hübsche Sache ist, z. B. ich sehe einen Freund in Not, und mein
Beutel erlaubet eben nicht, ihm gleich zu helfen, so darf ich mich
10 nur hinsetzen und in kurzer Zeit ist ihm geholfen.“

   Für das große Publikum war Beethoven hauptsächlich der
glänzende Klavierspieler. Schon in Bonn hatte man an ihm
gerühmt, es scheine, er gehe einen ganz neuen Weg. In Wien
trat nun das, was sein Klavierspiel von dem anderer Künstler
15 unterschied, immer deutlicher hervor: nicht die Technik bewun=
derte man, sondern den Geist, das Feuer und die Kraft des
Vortrags und seine unvergleichliche Art, auf dem Klavier zu
singen, vor allem jedoch sein freies Phantasieren. Anfangs trat
er dann auch oft als Klavierspieler auf, in Wien zum ersten Male
20 1795, und im nächsten Jahr lernten ihn auch weitere Kreise als
Virtuosen kennen, denn jetzt machte er seine einzige Konzertreise
und ließ sich in Prag, Nürnberg und Berlin mit dem größten
Erfolge hören. Während der Jahre 1796–1798 sehen wir ihn
noch öfter als Klavierspieler auftreten, nach 1800 aber zog er
25 sich immer mehr vom Konzertleben zurück.

   Dies geschah aber nicht freiwillig. Vielmehr war die Ursache
ein Leiden, das gerade für ihn, den Musiker, ganz besonders
furchtbar und schmerzlich sein mußte. Sein Gehör begann zu
schwinden, wurde von Jahr zu Jahr schwächer, so daß er schließ=
30 lich fast vollständig taub wurde. Seit etwa 1818 konnte er sich
nur noch auf schriftlichem Wege mit seiner Umgebung verständi=
gen. Anfangs versuchte er, dies Leiden zu verheimlichen, aber erst
als es so schlimm geworden war, daß es von anderen bemerkt
werden mußte, machte er kein Geheimnis mehr daraus und suchte

durch Hörinstrumente zu bessern, was im Grunde doch nicht mehr
zu bessern war. Von der Erkenntnis seiner schrecklichen Lage
wurde er manchmal fast überwältigt. Wir haben in seinem
Testament von 1802 einen Beweis, wie sein ganzes Wesen bis
in den Grund erschüttert war durch die Aussicht in eine Zukunft, 5
die jetzt vor ihm lag. Dieses Dokument ist an seine beiden Brüder
gerichtet, die nicht lange nach ihm nach Wien kamen und jetzt
ebenfalls dort lebten. Diese Brüder, besonders Johann, verur-
sachten Beethoven viel Kummer, mischten sich in seine geschäft-
lichen Angelegenheiten und suchten sich an die Stelle älterer 10
Freunde zu setzen.

Als Beethoven wußte, daß seine Krankheit nicht geheilt werden
konnte, arbeitete er fleißiger als je, als ob er Angst hätte, nicht
mehr alles aussprechen zu können, was er im Inneren fühlte.
Zwischen 1800 und 1810 entstanden die meisten und bedeutend- 15
sten seiner Werke.

Im Jahre 1812 machte er Goethes Bekanntschaft in Teplitz
in Böhmen, und die beiden waren viel zusammen. Welchen Eindruck Goethe von ihm empfangen hatte, erfahren wir aus seinem
Bericht an Zelter: „Beethoven habe ich in Teplitz kennengelernt, 20
sein Talent hat mich in Erstaunen gesetzt, allein er ist leider eine
ganz ungebändigte Persönlichkeit, die zwar gar nicht unrecht hat,
wenn sie die Welt detestabel findet, aber sie freilich dadurch weder
für sich noch für andere genußreicher macht. Sehr zu entschuldigen
ist er hingegen und sehr zu bedauern, da ihn sein Gehör verläßt, 25
was vielleicht dem musikalischen Teil seines Wesens weniger als
dem geselligen schadet."

Nach 1810 kam Beethoven, der in allen praktischen Dingen
nicht die geringste Erfahrung hatte, auf den Gedanken, seinen
eigenen Haushalt zu führen. Bis dahin hatte er seine Mahl- 30
zeiten in irgendeinem Wirtshaus und zu irgendeiner Stunde
eingenommen, wie es ihm seine Arbeit gerade erlaubte. Nun
aber wollte er sein eigener Hausherr sein, und das führte zu
einer langen Reihe tragikomischer Szenen. Er hatte immer

Streit mit Köchin und Bedienung. Er, der selber nicht rechnen konnte, fürchtete immer, daß man ihn betrog. Einmal schreibt er an eine Freundin: „Die Fräulein N. ist ganz umgeändert, seit ich ihr das halb Dutzend Bücher an den Kopf geworfen," und in
5   seinen Briefen klagt er immer wieder über „die alte Hexe," den „Satanas in der Küche."

Bis zum Jahre 1813 wurde Beethovens Kunst nur in einem kleinen Kreise des hohen Adels verstanden und geliebt. Für das große Publikum war seine Musik noch zu neuartig. In diesem
10   Jahre aber gelang es ihm, auch auf die Menge zu wirken, und zwar mit der Symphonie „Wellingtons Sieg oder die Schlacht bei Vittoria". Dies Stück, das Beethoven selbst für eine „Dummheit" erklärte, und in dem Kanonenschüsse und der ganze Lärm einer Schlacht nachgeahmt werden, hatte einen solchen Erfolg,
15   daß es in einem zweiten Konzert wiederholt werden mußte. So wurde Beethoven in Wien ein populärer Komponist.

Schon seit 1821 hatte Beethoven an einer Erkrankung der Leber (Zirrhose) gelitten. In den nächsten Jahren finden sich in seinen Briefen immer wieder Klagen über schlechte Gesundheit,
20   Schwäche des Magens usw. Er starb am 26. März 1827.

Berühmte Deutsche

7. Richard Wagner
(1813—1883)

Richard Wagner, der Schöpfer des modernen Musikdramas, wurde am 22. Mai 1813 in Leipzig als neuntes Kind seiner Eltern geboren. Sein Vater, ein hoher Polizeibeamter, der Jurisprudenz studiert hatte, starb schon sechs Monate nach Richards Geburt. Aber ein treuer Freund der Familie, Ludwig Geyer, ein 5
begabter Schauspieler, Maler, Sänger und Dichter, heiratete die Mutter im folgenden Jahre und sorgte für sie und die sieben lebenden Kinder. Da Geyer am Hoftheater in Dresden eine angesehene Stellung hatte, zog die ganze Familie dorthin, und hier brachte Richard seine ersten Jugendjahre zu. Als er acht 10
Jahre alt war, wurde ihm auch der Stiefvater durch den Tod entrissen, aber seine Schwester Rosalie war bereits eine angesehene Schauspielerin am Hoftheater, und so blieben wenigstens Not und Armut dem Hause fern.

Richard besuchte zuerst die Schule in Dresden und später das 15
Gymnasium in Leipzig, nachdem die Familie Ende 1827 dorthin zurückgekehrt war. Aber er sagt selber, daß er faul und ein schlechter Schüler gewesen sei, denn er interessierte sich schon damals stark für Dichtung und Musik. In seinem fünfzehnten Jahre lernte er Beethovens Werke kennen. Ihr Eindruck auf ihn war gewaltig. 20

Mit dem Eintritt in die Universität war auch die Wahl seines Berufes entschieden: er wurde „Student der Musik". Die nun folgenden Monate gehören zu dem, was Wagner später den wildesten Abschnitt seines Lebens nannte, der aber nicht sehr lange dauerte. In den nächsten Jahren entstanden seine erste Sym- 25
phonie, eine Oper und andere Werke. Seine praktische Laufbahn begann er als Musikdirektor an einem Theater in Magdeburg

(1834—1836). Er wäre wahrscheinlich nicht dort geblieben, wenn
er nicht die Schauspielerin Minna Planer kennengelernt hätte.
Sie sollte in seinem Leben eine große Rolle spielen, denn zwei
Jahre später wurde sie seine Frau. In Magdeburg komponierte
5   Wagner fleißig weiter, bis die Saison mit einem Bankerott
endete.

Inzwischen wurde Minna Planer ein Engagement in Königs=
berg angeboten, aber sie wollte es nur annehmen, falls Wagner
gleichzeitig Musikdirektor würde, was man auch versprach. Aber
10 der Posten war zunächst für Wagner noch gar nicht frei. Er blieb
nur „der Mann seiner Frau". Als er endlich den versprochenen
Posten einnehmen konnte, ging es ihm wie in Magdeburg: das
Theater stand vor dem Bankerott. Bald darauf verließ Frau
Minna heimlich ihren Mann, so daß Wagner sich scheiden lassen
15 wollte. Als er aber nach einem traurigen Sommer in Dresden
im Herbst eine Stellung an dem neuen Theater in Riga bekom=
men hatte, folgte Minna ihrem Mann, nachdem er ihr verziehen
hatte, dorthin nach und blieb nun in allen Leiden und Nöten treu
an seiner Seite, bis im Jahre 1861 die dauernde Trennung
20 erfolgte. Obgleich gutmütig, hatte Minna nie ein wahres Ver=
ständnis für die hohen Ideale ihres Mannes gehabt. Das war
die schwere Tragik von Wagners erster Ehe.

Im Frühjahr 1839 ging Wagners Kontrakt in Riga zu Ende.
Er beschloß deshalb, nach Paris zu gehen, um dort seine neue
25 Oper „Rienzi" zu vollenden und auf die Bühne zu bringen. Die
Abreise aus Riga mit seiner Frau und seinem großen Bernhar=
diner war wegen seiner vielen Schulden in Wirklichkeit eine Flucht.
Die Seefahrt nach London war so stürmisch, daß sie statt acht
Tage beinahe vier Wochen dauerte. Auf der Reise wurde Wagner
30 die Geschichte vom „Fliegenden Holländer", die er aus einer
Erzählung Heines kennengelernt hatte, wieder lebendig.

Die drei Jahre des Pariser Aufenthaltes gehören zu den trau=
rigsten in Wagners Leben. Sein Hauptwunsch, die Aufführung
des „Rienzi" in der großen Oper, war nicht so leicht zu verwirk=

lichen. Er versuchte auf jede Weise, in der Weltstadt bekannt zu werden, aber es fehlte ihm dazu beinahe alles, und seine traurige Lage wurde höchst unsicher und schließlich ganz trostlos. Er versuchte sein „Liebesverbot", das, wie er meinte, den Franzosen besser gefallen würde, zur Aufführung zu bringen. Die Aussichten waren günstig: da machte das Theater Bankerott. Um leben zu können, wurde er schließlich gezwungen, Arrangements aus den populären Opern der Zeit zusammenzustellen. Außerdem schrieb er Artikel musikalischen Inhalts für die „Gazette Musicale" und war als Korrespondent einiger deutschen Zeitungen tätig. Seine freie Zeit aber benutzte er zur Vollendung des „Rienzi" und des „Fliegenden Holländers". Ein Trost in dieser schweren Zeit war der Verkehr mit einem kleinen Kreis treuer Freunde. Da kam ein Strahl der Hoffnung aus der deutschen Heimat. Sein „Rienzi" wurde von der Dresdener Hofoper, der „Fliegende Holländer" vom Berliner Hoftheater zur Aufführung angenommen.

Am 7. April 1842 verließ er voll Hoffnung die Stadt, die ihm so bitteres Leid gebracht hatte. Eine kurze Autobiographie, die er zu jener Zeit schrieb, schließt mit den Worten: „Zum erstenmale sah ich den Rhein, — mit hellen Tränen im Auge schwur ich armer Künstler meinem deutschen Vaterlande ewige Treue."

Die Reise von Paris nach Dresden dauerte damals fünf volle Tage und Nächte. Wagner selbst eilte von Dresden nach Leipzig, um Mutter und Geschwister zu begrüßen, dann fuhr er weiter nach Berlin wegen der geplanten Aufführung des „Fliegenden Holländers".

Am 20. Oktober fand die einem Triumph gleichende Aufführung des „Rienzi" in Dresden statt. Sie brachte dem Komponisten einen kolossalen Erfolg, obgleich sie von sechs Uhr abends bis über Mitternacht dauerte. In der ganzen Stadt hatte die Oper die größte Sensation gemacht. Man sprach von nichts anderem. Wagner war über Nacht ein berühmter Mann geworden.

Da es in Berlin allerlei Schwierigkeiten gab, wurde auch der
„Fliegende Holländer" zuerst in Dresden aufgeführt. Der Erfolg
dieser Oper am 2. Januar 1843 war ebenfalls groß, und nun
wurde Wagner erster Kapellmeister an diesem ausgezeichneten
5　Theater.

Jetzt verging die Zeit mit viel Arbeit mit dem Orchester und
mit angenehmen Stunden in seinem Heim, wo er sich eine bedeu=
tende Bibliothek gesammelt hatte. Dann folgte im Oktober 1845
die Aufführung von „Tannhäuser", die aber weniger erfolgreich war.

10　Nachdem Wagner Anfang 1848 die Nachricht vom Tode seiner
Mutter erhalten hatte, brach die Februarrevolution in Paris aus,
die sich bald nach Deutschland und Österreich verbreitete und
schließlich auch zum Kampf um die Freiheit in den Straßen
Dresdens führte. Durch seine Sympathie für die revolutionäre
15　Bewegung hatte Wagner sich so kompromittiert, daß er Dresden
verlassen mußte und erst nach Weimar, dann nach Paris, endlich
aber, als jede Hoffnung auf Rückkehr schwand, nach Zürich flüch=
tete. Mit diesem Jahre beginnt ein vollkommen neuer Abschnitt
in Wagners Leben.

20　Anfangs fühlte Wagner sich in seiner neuen Umgebung zum
ersten Male in seinem Leben vollständig frei. Er beschäftigte sich
jetzt mit theoretischen Arbeiten und in den um diese Zeit ent=
standenen Schriften bezeichnete er das Musikdrama als das
Kunstwerk der Zukunft.

25　Inzwischen hatte sein Freund Franz Liszt in Weimar den
„Lohengrin" aufgeführt. In den nächsten Jahren arbeitete Wag=
ner sehr viel an dem Nibelungendrama und schrieb „Tristan und
Isolde". Im Jahre 1855 machte er auf Einladung der alten
Philharmonischen Gesellschaft eine Reise nach London, wo er acht
30　Konzerte dirigierte, und 1860 finden wir ihn in Paris, wo er
eine Reihe glänzender Konzerte leitete. In diesem Jahre erhielt
er auch die Erlaubnis zur Rückkehr in die deutsche Heimat, mit
Ausnahme von Sachsen, wo er geboren war. Sogleich reiste er
nach Weimar, wo er liebe Freunde traf. Im Herbst fuhr er nach

Wien und hörte dort zum ersten Male seinen „Lohengrin". Wäh=
rend seines Aufenthaltes in Wien arbeitete er besonders an den
„Meistersingern", aber er hatte wieder so viele Schulden gemacht,
daß er dort nicht bleiben konnte. Endlich kam er nach Stuttgart,
der Verzweiflung nahe. Schon waren seine Koffer wieder gepackt,   5
als ein fremder Herr sich melden ließ. Dieser Besucher war ein
Abgesandter des Königs von Bayern, der als Ludwig II. eben
den Thron bestiegen hatte. Wagner war außer sich vor Freude,
als er von dem König eine Einladung erhielt.

Am nächsten Tage besuchte der einundfünfzigjährige Meister   10
den achtzehnjährigen König. An seine Freunde schrieb er: „. . . Er
will, ich soll immer bei ihm bleiben, arbeiten, ausruhen, meine
Werke aufführen, wie ich will. Ich soll mein unumschränkter
Herr sein, nicht Kapellmeister, nichts als ich und sein Freund . . .
Alle Not soll von mir genommen sein, ich soll haben, was ich   15
brauche . . ." Wagner erhielt von dem König 40 000 Gulden,
um alle seine Schulden zu bezahlen.

Aber Wagner hatte auch viele Feinde in München und schon
im nächsten Jahre reiste er nach der Schweiz. Um diese Zeit starb
seine von ihm getrennt lebende Frau. Einige Jahre darauf   20
schloß Wagner eine zweite Ehe mit Cosima, der Tochter Franz
Liszts und geschiedenen Frau seines Freundes von Bülow.

Die Jahre vergingen Wagner jetzt in fleißiger Arbeit an den
„Meistersingern", dem „Nibelungenring" und „Parsifal". Zu
gleicher Zeit versuchte er seinen Plan zu verwirklichen, ein eigenes   25
Festspielhaus zu gründen, die Krönung seines Lebenswerkes. In
ganz Deutschland wurde gesammelt, aber es genügte nicht.
Schließlich rettete König Ludwig das Werk durch einen Kredit
von 300 000 Mark. Im Jahre 1876 wurde in dem neuen Fest=
spielhaus zu Bayreuth zum ersten Male „Der Ring des Nibe=   30
lungen" aufgeführt in Anwesenheit des Deutschen Kaisers sowie
des Königs von Bayern und anderer deutschen Fürsten, in Gegen=
wart eines Publikums von Künstlern und Schriftstellern, von
Aristokraten des Geistes und der Geburt.

Der letzte Abschnitt in Wagners Leben wird fast ganz von der Arbeit am „Parsifal" und dessen Aufführung ausgefüllt. Im Juli und August 1882 wurde dieses monumentale Werk sech-zehnmal in Bayreuth aufgeführt. Aber es war auch Wagners
5 Schwanengesang, denn am 13. Februar des folgenden Jahres nahm er auf immer von der Welt Abschied.

Der Besuch beim Leutnant

I

Es war Abend, aber der Mond schien nicht. Es war zur schönen Sommerszeit, und zwar in einem Garten.

In diesem Garten ging Leutnant von Sturmfeld spazieren. Aber er ging nicht allein. Neben ihm schritt die junge und schöne Marie, Marie Cäcilia Wunnesam; so hieß sie, Wunnesam.

Es war Otto von Sturmfeld gelungen, ihr Herz zu gewinnen. Sie hatten sich noch nicht erklärt, aber er wußte es.

Er war ihre erste Liebe, sie seine dreizehnte oder vierzehnte. Nein, eigentlich war sie doch seine erste.

Kein Mädchen hatte er je so geliebt wie Marie Cäcilia; und wenn er dachte, daß er sie vielleicht nicht heiraten könne, spielte er mit dem Gedanken, sich eine Kugel durch das unglückliche Herz zu schießen.

Ob er es wirklich getan hätte? Im Augenblick jedenfalls war es sein bitterer Ernst. Früher hatte er es wohl öfter geschworen, aber selber nicht an seinen Schwur geglaubt.

Marie Cäcilias Vater gehörte nicht zu den armen Leuten. Er besaß eine Fabrik, ein Haus in der Stadt und ein Haus auf dem Lande mit einem großen Park. Jedes Jahr machte er mit seiner Familie große Reisen. Man durfte daher annehmen, daß Marie Cäcilia eines Tages eine gute Mitgift zu erwarten hätte. Eines Tages? Sehr bald, hoffte Leutnant Sturmfeld. Er konnte Geld brauchen. Welcher Leutnant konnte kein Geld brauchen? Aber, wäre Marie arm gewesen wie ein Bettelkind, er hätte sie doch zur Frau genommen.

Leutnant von Sturmfelds Vater hatte zu seinem Sohn gesagt: „Junge, für dich ist es am besten, du bleibst den Frauen möglichst fern. Bist du aber einer Person ins Netz gefallen und mußt sie

durchaus heiraten, nun, dann komme zu mir — zwölftausend
Taler sind noch übrig. Aber ich bitte dich, mach' keine Schulden
daraufhin."

Es ist immer gut, wenn der Mensch etwas Geld hat. Der
5 alte Wunnesam hatte solch einen Menschen lieber als einen, der
arm war. So sind wir ja alle. Einen armen Leutnant zu hei=
raten, hätte seinem Töchterchen manche Träne gekostet.

Bis jetzt wußte der alte Herr noch nicht, daß Otto und Marie
Cäcilia in einander verliebt waren.

10 Also, der Offizier und das junge Mädchen gingen spazieren im
kühlen Garten, und was sie zusammen sprachen, ist ganz gewöhn=
liches Zeug gewesen; meistens aber waren sie stumm.

Die Nachtigall, welche die beiden für ein Liebespaar hielt und
ihnen zuhören wollte, weil sie von Liebesleuten die süßen Worte
15 lernt, die sie dann in ihren Liedern gebraucht, ärgerte sich, weil
sie nichts von ihnen lernen konnte.

Und als sie nun lange genug gegangen waren und der Leut=
nant seine Dame wieder zu der übrigen Gesellschaft zurückführen
mußte, obgleich es ihnen schwer wurde, ihr stilles Glück zu enden
20 und vor den Gästen zu tun wie zwei Personen, die eigentlich gar
nichts miteinander zu tun haben, — da gab er ihr den ersten
Kuß.

Während sie noch von seinem Kuß bebte, sagte er zu ihr:
„Marie Cäcilia, ich nenne dich jetzt ‚du'. Du wirst meine Frau.
25 Morgen nachmittag bin ich wieder hier und spreche mit deinem
Vater."

Sie sagte nichts. Wenigstens jetzt sagte sie nichts. Nachher,
als der Leutnant Abschied nahm, um nach der Stadt zurückzu=
fahren, gab sie ihm ihre zitternde Hand, und Leutnant Otto war
30 sicher, diese beiden Worte verstanden zu haben: „Komme ja!"

Dann lief sie schnell von ihm fort.

Das Landhaus, in dem Marie Cäcilia wohnte, lag von der
Stadt gute zwei Stunden entfernt. Leutnant Otto hatte be=

schloſſen, gegen zwei Uhr hinauszureiten und ſeinem Burſchen deswegen ſchon die nötigen Befehle gegeben. Als er nun zur Mittagszeit in das Kaſino kam, wo die Herren Offiziere ſpeiſten, fand er ſeine Kameraden in einer gewiſſen Aufregung. Zu einer Gruppe tretend, fragte er, ob etwas Beſonderes paſſiert ſei, ob Frankreich dem Deutſchen Reich vielleicht wieder einmal den Krieg erklärt habe.

„Nein, aber ſeine Exzellenz, General von Thurm, unſer neuer Korpskommandeur, kommt heute, und um fünf iſt große Vorſtellung. Punkt fünf, Sturmfeld, hier im Kaſino!“ ſagte jemand.

„Iſt das wirklich wahr?“ fragte Otto von Sturmfeld erſchrocken.

„Mein voller Ernſt,“ erwiderte der Auskunftgeber. „Diesmal iſt es kein Spaß.“

„Ja, Leutnant Sturmfeld, der General kommt,“ erklärte von Achtzig, Hauptmann der Kompagnie, bei welcher unſer Otto ſteht. „Es iſt Ihnen doch hoffentlich recht angenehm?“ fragte er etwas boshaft.

„Da ſoll doch der Teufel den verdammten General holen! Muß denn der dumme Kerl gerade heute kommen!“ rief Otto laut und ärgerlich.

Alle wurden ſtill und ſahen nach ihm hin. Zu ſpät erkannte Otto, was für ein dummer Kerl er ſelber geweſen war.

„Leutnant von Sturmfeld, es tut mir leid,“ ſagte Hauptmann Achtzig ernſt. „Ich muß Ihnen für dieſe Bemerkung bis morgen mittag Stubenarreſt auferlegen. Seien Sie froh, wenn Sie keine weiteren Unannehmlichkeiten haben. Adieu!“

Feuerrot im Geſicht hörte Otto ſeines Hauptmanns kurze Rede an. „Zu Befehl,“ ſagte er dann, drehte ſich um und ging fort.

Unten an der Tür holte ihn ſein Freund, der Adjutant Buſch, ein, legte ihm die Hand auf die Schulter und meinte tröſtend: „Du biſt zwar ſehr grob geweſen, aber die Sache iſt nicht ſo ſchlimm. Hauptmann Achtzig konnte nicht anders; aber er wird dich nicht melden, hat er gesagt. Die Geschichte bleibt also unter uns. Wahrscheinlich läßt er dich wieder holen, wenn der General da ist. Sag', was hattest du eigentlich für heute nachmittag geplant?"

"Nichts!" gab ihm Otto zur Antwort, machte sich von dem Freunde los und schritt schnell seiner Wohnung zu.

"Eine ganz verwünschte Geschichte, ganz verwünscht! Aber es ist mir alles gleich — ich muß zu Marie!"

So sprach Leutnant Otto von Sturmfeld, vom Sofa auf= springend, nachdem er vielleicht eine halbe Stunde, seit er in seiner Wohnung angekommen war, darauf geruht hatte.

Er rannte zur Tür, öffnete sie und schrie hinaus: "Töpfer, Töpfer, Tö...pfer! Töö....pfeeerrr! Wo bleibt denn der Kerl in aller Großmütter Namen!" So schrie und fluchte er vielleicht noch fünf Minuten lang, bis der Hauswirt kam und bat, der Herr Leutnant möchte doch keinen solchen Lärm machen, wodurch er aber nur erreichte, daß der Leutnant noch lauter schrie.

Endlich hörte er jemand die Treppe heraufkommen. Er machte eine Pause und sammelte neue Kräfte für den Augenblick, da dieser pflichtvergessene Soldat wirklich vor ihm stehen würde. Aber als es so weit war, konnte er nur krähen: "Töpfer, du fauler Kerl, wo hast du solange gesteckt?"

"Unten auf dem Hof, Herr Leutnant," antwortete der Bursche mit der unschuldigsten Miene.

"Töpfer," sagte der Leutnant — er konnte jetzt wenigstens wieder sprechen, ohne bei jedem Worte Atem holen zu müssen — "Töpfer, wenn du lügst, so lüg doch wenigstens nicht so dumm! Du bist wieder in dem verdammten Wirtshaus gegenüber gewe= sen. Sattle mein Pferd!"

Otto von Sturmfeld ging gleich mit nach dem Stalle hin= unter. Als er aufgesessen war, befahl er, die Hintertüre des Hofes zu öffnen, weil er nicht über die Straße wollte, und ehe er hin= ausritt, sagte er: "Töpfer, hier sind fünfzehn Groschen, damit gehst du in irgendein Wirtshaus vor der Stadt und läßt dich

möglichst von keinem deiner Kameraden sehen, am allerwenigsten
aber von einem Offizier. Fragt dich aber ein Offizier nach mir,
so sagst du, ich hätte mich eingeschlossen und dich fortgeschickt.
Auf keinen Fall darfst du sagen, daß ich ausgeritten bin. Nach
Dunkelwerden komme ich zurück. Verstanden?"   5

„Zu Befehl, Herr Leutnant."

Töpfer öffnete die Hintertür, gab dem Pferd einen leichten
Schlag, weil das dumme Tier nicht aus dem ungewohnten Aus=
gang hinauswollte, und sah seinem Herrn nach, bis dieser um die
Ecke bog.   10

Der Besuch beim Leutnant

II

„Herr Hauptmann von Achtzig, auf ein Wort."

„Zu Befehl, Exzellenz."

„Kommen Sie mal ein bißchen mit hier in die Ecke."

Hauptmann von Achtzig folgte dem General, sehr verwundert
und neugierig, was für Geheimnisse der hohe Offizier wohl mit
ihm habe.

„Hören Sie mal, Herr Hauptmann — es ist mir da etwas
Unangenehmes zu Ohren gekommen."

Hauptmann von Achtzig sah den General an. Was sollte er
auch anders tun?

„Die Sache betrifft den Leutnant Sturmfeld," fuhr Seine
Exzellenz fort.

„O weh!" dachte der Hauptmann.

„Leutnant von Sturmfeld hat sich unpassende Ausdrücke er=
laubt."

„Ich kann es leider nicht leugnen."

„Nicht wahr: den verdammten General soll der Teufel holen;
warum muß der dumme Kerl gerade heute kommen — das hat
er gesagt."

„Zu Befehl, Exzellenz."

„Wissen Sie etwas Näheres über den Leutnant?"

„O ja. Sein Vater —"

„Das meine ich nicht. Wissen Sie vielleicht, warum es ihm
so besonders unangenehm war, heute hier sein zu müssen?"

Der Hauptmann konnte keine Auskunft geben.

„Ich erinnere mich nicht, den Leutnant von Sturmfeld hier
gesehen zu haben."

„Er befindet sich in seiner Wohnung — auf meinen Befehl."

„Hm — ich möchte ihn mal sprechen."

„Wenn Exzellenz befehlen, schicke ich sogleich nach ihm."

„Nein, nein, lassen Sie nur! Ist nicht so wichtig. Ich bin ja morgen noch hier. Ich danke, Herr Hauptmann."

Einige Zeit später teilte der General dem Hauptmann mit, daß er doch noch am Abend abreisen müsse und daß es ihm lieb sein würde, wenn er den schuldigen Leutnant ins Kasino bestelle. Jetzt gleich sei es nicht nötig; er wolle erst noch einen Spaziergang machen; doch überlasse er es ganz dem Herrn Hauptmann. Der Hauptmann dachte, Sturmfeld könne ruhig noch ein bißchen im Stubenarrest bleiben.

Es fiel Töpfer, dem Burschen des Leutnants, gar nicht ein, in ein Wirtshaus vor der Stadt zu gehen. Es war ihm viel zu heiß dazu. Außerdem hatte er schon längst auf eine gute Gelegenheit gewartet, eine Pfeife von des Leutnants türkischem Tabak zu rauchen; und nachdem die Gelegenheit endlich einmal da war, wollte er auch davon Gebrauch machen.

Er ging in die Wohnung hinauf, zu der er einen zweiten Schlüssel hatte, schloß sich oben ein und stopfte sich die Pfeife mit türkischem Tabak. Er setzte sich mit der Pfeife in einen bequemen Armstuhl und wünschte sich nur, er könnte es alle Tage so gut haben.

Um zwei Uhr setzte er sich des Leutnants Mütze auf. Um halb drei zog er des Leutnants Schlafrock an. Um drei kochte er sich auf des Leutnants Maschine Kaffee, selbstverständlich von dem Kaffee, der dem Leutnant gehörte. Um halb vier legte er sich, so lang er war, auf des Leutnants Sofa und schlummerte ein wenig. Um fünf wachte er wieder auf, überlegte, ob es jetzt kühl genug sei, um ins Wirtshaus zu gehen, fand, daß es noch viel zu heiß dazu war, und griff nach der konservativen Zeitung, welche Leutnant Sturmfeld hielt, aber legte sie bald wieder hin.

Weil er nichts Besseres zu tun hatte, untersuchte er alle unverschlossenen Schubladen, las sämtliche Briefe und Karten, die

der Leutnant hatte herumliegen lassen, nahm verschiedene von des
Leutnants Hemdenknöpfen zu sich und entdeckte schließlich eine
Flasche Kognak, die sein Herr vergessen haben mußte und die er
deshalb ebenfalls zu sich nahm. Sonderbar, für einen kleinen
5 Spaziergang war es ihm zu heiß, aber nicht für eine Flasche
Kognak, noch dazu ohne Wasser.

Alkohol übt bekanntlich eine eigenartige Wirkung auf den
menschlichen Körper, und Töpfers Körper machte keine Ausnahme. Nach und nach bekam er Lust zu den unglaublichsten
10 Streichen. Schon immer hatte er davon geträumt, sich einen
Namen als Leutnant zu machen, nur war es in Wirklichkeit
leider ganz anders gekommen. Um wenigstens etwas in dieser
Richtung zu unternehmen, kleidete Töpfer sich von Kopf bis zu
Fuß als Offizier, wobei er selbstverständlich von Leutnant Sturm-
15 felds Uniform Gebrauch machte. Auch das eiserne Kreuz, das
sein Herr in einer Schlacht gewonnen hatte, befestigte er an
seiner Brust, legte den Degen an und schaute in den Spiegel.
Man mußte zugeben, er war ein ganz hübscher Kerl und sah
äußerlich wenigstens ganz respektabel als Leutnant aus. Er
20 glaubte nun beinahe selber, daß er wirklich einer sei.

Aber es genügte ihm nicht, nur im Verborgenen zu blühen.
„Um Gottes willen!" wird der besorgte Leser denken, „der Mensch
wird doch nicht so dumm sein, auf die Straße zu gehen? Nun,
auf alle Fälle gibt es einen guten Spaß, wenn er das tut."
25 Aber so dumm war Töpfer denn doch nicht. Er stellte sich nur
ans offene Fenster.

Er möchte wenigstens seine Kameraden hinters Licht führen.
Richtig, es dauert gar nicht lange, da kommen zwei Rekruten
vorbei. Sie sehen Töpfer; sie halten Töpfer natürlich für einen
30 Offizier, sie salutieren Töpfer — Töpfer ist unglaublich stolz.
Er spricht die beiden an, fragt sie nach Namen und Heimat und
schenkt einem jeden zwei Zigarren — natürlich von des Leutnants feinen, teuren Zigarren, die er sich stets direkt aus Hamburg kommen läßt.

Das Spiel wiederholt sich. Das heißt, Zigarren gibt Töpfer nicht mehr; aber er läßt sich grüßen und nickt sorglos wieder. Da kommt plötzlich sein Freund Sasse die Straße herauf. Töpfers erster Gedanke ist, vom Fenster zurückzutreten. Aber dann denkt er: „Versuch's einmal, ob Sasse dich wohl erkennt." Er bleibt am Fenster.

Sasse bemerkt eine Offiziersuniform. „Fremder Besuch bei Sturmfeld," denkt er. Ganz automatisch hebt er die Hand, um sie an die Mütze zu legen. Aber sein Arm sinkt schnell wieder. „Töpfer!" ruft er hinauf. „Kannst mir auch mal eine Zigarre herunterwerfen."

Töpfer rührt sich nicht von der Stelle.

„Na schon gut. Ich hol' sie mir selber!" ruft Sasse und geht in das Haus. Er klopft so lange an die Tür, bis Töpfer aus Furcht, durch den Lärm verraten zu werden, öffnet.

Es schadet im Grunde nichts, daß Sasse ihn erkannt hat. Sasse ist kein Spielverderber. Sie haben beide schon manchen Streich zusammen ausgeführt.

Und wie gut Sasse Spaß versteht, das zeigt sich sogleich. Er geht auf die Komödie ein und übernimmt die Rolle eines Offiziers, der seinen Kameraden zu besuchen gekommen ist.

Was für Manieren ein Leutnant hat, das wissen sie natürlich ausgezeichnet. Sie sagen nicht „du" sondern „Sie" zueinander; sie sprechen von Pferden und von den „Kerls"; sie machen sich über ihren Hauptmann und ihre Kameraden lustig. Außerdem rauchen sie viel von dem türkischen Tabak und leeren die Flasche Kognak bis auf den Grund. Nur manchmal vergessen sie sich. Da sagt zum Beispiel Töpfer zu Sasse: „Sasse, du bist ein Schaf!" und da sagt Sasse zum Beispiel zu Töpfer: „Halt's Maul, du Schwein, oder du kriegst eine ins Gesicht!"

Endlich war es Zeit, den Unsinn aufzugeben. Sasse ging fort, nachdem Töpfer versprochen hatte, ihn in einer halben Stunde bei Pingels zu treffen. Pingel war der Besitzer eines ausgezeichneten Wirtshauses: kühl, gutes Bier und billiges Essen.

Töpfer legte sich noch einen Augenblick auf das Sofa, ehe er Ordnung im Zimmer machte. Die Tür hinter Sasse wieder zu verschließen, hatte er nicht für nötig gehalten oder vergessen.

Unten an der Tür begegnete Sasse zwei Offizieren, der eine
5 ein General, der andere ein Leutnant.

„Wohnt hier der Herr Leutnant von Sturmfeld, mein Sohn?" fragte der General.

„Zu Befehl!"

„Ist der Herr Leutnant noch zu Hause?" fragte der General
10 weiter.

„Zu Befehl!" antwortete der schlechte Sasse wieder.

„In welchem Stock wohnt er?"

„Erster Stock, rechts!"

„Schön, ich danke, mein Sohn," nickte der General und ent=
15 ließ den Soldaten. Dann wandte er sich an seinen Begleiter: „Wollen Sie so freundlich sein, auf mich zu warten?"

„Wie Exzellenz befehlen," antwortete der Begleiter, die Hand an die Mütze legend.

Der Besuch beim Leutnant

III

General von Thurm stieg die Treppe hinauf bis in den ersten Stock und klingelte. Als nicht gleich geantwortet wurde, öffnete er eine Tür, kam in ein kleines Vorzimmer, klopfte an eine zweite Tür und machte dieselbe auf, ohne auf ein „Herein" zu warten. Ein General darf sich das wohl erlauben, besonders wenn er mit gewissen Absichten zu einem Leutnant kommt. Auf einem Sofa lag jemand, den er natürlich für den Leutnant von Sturmfeld halten mußte, der aber, wie wir wissen, unser guter Töpfer war.

„Guten Tag!" sagte der General.

Töpfer fuhr in die Höhe. Er erblickte den hohen Offizier, einen großen, streng und ernst blickenden Mann. Schnell sprang er auf.

„Nun," fing der General an, „Sie machen mir schöne Geschich= ten, Herr. Wissen Sie, daß Sie sehr unhöflich gewesen sind? Ich bitte um Antwort."

„Zu Befehl!" sagte Töpfer.

„Was für eine Strafe würden Sie sich diktieren?" fuhr der General fort. Töpfer schwieg. „Ich bitte um Antwort," setzte der General hinzu.

Töpfer schwieg.

„Ich habe um Antwort gebeten."

„Acht Tage Arrest," sagte Töpfer ängstlich.

„Acht Tage Arrest meinen Sie — gut, Sie sollen acht Tage Arrest haben, und zwar gleich von jetzt an. Ich muß sagen, Sie gefallen mir gar nicht besonders. Ich hätte mir gedacht, Sie würden einige Worte der Entschuldigung finden. Aber statt dessen stehen Sie wie ein verstockter Sünder da. Nun — — "

Töpfer schwieg.

„Ihr Schweigen könnte mich bewegen, Ihnen ernstlich acht Tage Arrest zu geben, mein Herr Leutnant."

Die Worte „mein Herr Leutnant" hielt Töpfer für Ironie; 5 zwar kannte er den Ausdruck „Ironie" nicht, aber er hatte das bestimmte Gefühl, daß die Exzellenz sich damit lustig über ihn machte, weil er den Leutnant zu spielen versucht hatte.

„Ich bitte um Antwort!"

Töpfer schwieg.

10 „Es ist eigentlich gar nicht meine Absicht, streng mit Ihnen zu sein; jedoch — ich weiß wirklich nicht, Sie benehmen sich so sonderbar, so ganz und gar nicht, wie man es wohl erwarten könnte. Herr! haben Sie denn gar nichts zu sagen? Lange werde ich mich nicht mit Ihnen aufhalten."

15 „Ich, ich," stotterte Töpfer, „Exzellenz, ich, ich habe —" dann war's wieder vorbei mit dem Redestrom.

Der General stampfte ärgerlich mit dem Fuße auf.

„Nun, Sie haben Ihre acht Tage, gleich von jetzt an. Ihrem Hauptmann werde ich Meldung machen. Adieu."

20 Damit ging er, vor sich hin murmelnd: „Der Mensch hat gar kein Benehmen als Offizier."

Der Leutnant, der unten auf den General gewartet hatte, war erstaunt, ihn so schnell wiederkommen zu sehen; aber er fragte nicht. Er merkte wohl, daß Seine Exzellenz in schlechter Laune 25 war.

Später abends, als Herr von Thurm in das Kasino zurück= kam, suchte er sogleich Hauptmann von Achtzig und erzählte ihm: „Ich bin eben selber bei dem Leutnant von Sturmfeld gewesen."

„Das war sehr freundlich von Exzellenz. Und ich hoffe, Sie 30 haben von dem jungen Offizier eine gute Meinung — —"

„Eine gute Meinung! Im Gegenteil!" rief der General. „Er benahm sich verstockt im höchsten Grade, so daß ich gar keine Lust hatte, mich länger mit ihm zu unterhalten. Kein Wort konnte ich aus ihm herausbekommen, kein Wort, Herr Hauptmann!

Es ist ihm nicht einmal eingefallen, sich zu entschuldigen. Was sagen Sie dazu?"

Der Hauptmann erwiderte, er sei höchst erstaunt, so etwas hören zu müssen. Und weiter sagte er: „Leutnant von Sturmfeld ist am beliebtesten vom ganzen Regiment, ein kluger, offener, freundlicher Mensch, nur zuweilen etwas wild und leichtsinnig, aber tapfer wie ein Löwe. Wenn es ihm helfen kann, bin ich gerne und mit der größten Freude bereit, ein gutes Wort für ihn einzulegen."

„Sehen Sie, lieber Hauptmann, es ist ja gar nicht meine Absicht gewesen, den Leutnant zu bestrafen. Mein Gott, ein junger, lebenslustiger Mensch gibt seiner Natur manchmal nach. Das kann vorkommen. Aber man verlangt freies Bekennen der Schuld und ein Wort der Entschuldigung. Nun, Leutnant Sturmfeld ist geradezu halsstarrig mir gegenüber gewesen, statt dankbar zu sein, daß ich allein in sein Zimmer kam, um mit ihm zu sprechen. Deshalb habe ich denn auch nicht lange gefragt, warum er gerade heute nachmittag frei sein wollte. Und unter uns gesagt, lieber Herr Hauptmann, es fehlt ihm an Benehmen. Auch hat er etwas Gewöhnliches in seinen Zügen."

Der Hauptmann machte ein nachdenkliches Gesicht, als ob er sich die Figur des Leutnants recht deutlich vor Augen rufen wolle, und meinte: „Das ist mir aber ganz neu, Exzellenz."

„Nun, darum geht es auch gar nicht. Aber meine Sympathien hat er sich schnell genug verscherzt. Ich kann ihm nicht helfen. Es ist seine eigene Schuld, wenn die nächsten acht Tage keine angenehmen für ihn sind."

„Exzellenz haben dem Leutnant von Sturmfeld Stubenarrest gegeben?" Dem Hauptmann schien es wirklich leid zu tun.

„Allerdings, und zwar eine Woche. Warum gerade eine Woche, kann er Ihnen selber erzählen. Das war auch so eine halbe Frechheit."

„Ich habe schon vor einer Weile den Adjutanten Busch zum Leutnant geschickt. Sie müssen jeden Augenblick hier sein. Ich

hoffe, Exzellenz sind nicht dagegen, daß er ins Kasino kommt. Wollen Exzellenz mir gestatten, Leutnant von Sturmfeld noch einmal allein zu sprechen? Ich bin sicher, es muß irgend etwas Besonderes vorliegen. Daß Sturmfeld sich so benahm, wie Exzel=
5 lenz beschrieben haben, ist mir ganz unverständlich, so wie ich ihn kenne. Wenn Sie ihn noch einmal sprechen würden, — vielleicht erhalten Sie eine bessere Meinung von ihm."

„Nachdem ich ihm Arrest gegeben habe, kann er hier doch nicht gut erscheinen."

10 „Wenn er direkt geholt wird — —"

„Nun, meinetwegen. Wenn er hier ist, sprechen Sie mit ihm. Möglicherweise versuche ich's auch noch einmal mit ihm, obgleich ich nicht glaube, daß ich mein Urteil ändern werde. Da fällt mir noch ein — trinkt Leutnant Sturmfeld zuweilen etwas mehr als
15 ihm gut ist?"

„Nie!" erwiderte der Hauptmann entschieden.

„Ich meinte nur. Ich sah eine große, leere Kognakflasche auf seinem Tisch stehen, und seine Augen waren ganz trübe."

Der Hauptmann schüttelte den Kopf und wiederholte, Leut=
20 nant Sturmfeld habe noch nie zu viel getrunken.

„Na, das ist wieder mal gut gegangen," sagte Töpfer zu sich selbst, worauf er sehr nachdenklich wurde. Endlich überlegte er sich, daß er zum Feldwebel gehen und sich zum Arrest melden müsse. Er zog die Leutnantsuniform aus und zog seine eigene
25 wieder an. Dann machte er Ordnung im Zimmer und ging endlich nach der Kaserne.

Wie ein armer Sünder stand er vor dem Feldwebel, als er endlich den Mut gefunden hatte, vor den gefürchteten Mann zu treten; er mußte es ja — mit dem Befehl eines Generals ist
30 nicht zu spaßen.

„Was wollen Sie?" fragte der Feldwebel, da er natürlich nicht einfach aus Töpfers Gesicht lesen konnte, was Töpfer wollte.

„Ich soll mich zum Arrest melden."

„Zum Arrest sollen Sie sich melden? So, warum denn?"

„Weil ich die Uniform des Herrn Leutnant von Sturmfeld angezogen habe."

„Na, das freut mich, daß du einmal 'reingefallen bist. Ich habe es dir ja schon längst prophezeit." So war es auch. Der Feld=webel hatte es jedem einzelnen in der ganzen Kompagnie wenig=stens ein dutzendmal prophezeit; denn das Prophezeien war seine starke Seite. „Na, warte nur."

Er fing an, den Arrestbefehl auszuschreiben.

„Wer schickt dich in Arrest?" fragte er. „Doch wohl nicht der Herr Leutnant selber!"

„Seine Exzellenz, Herr Feldwebel."

„Was redest du da!"

„Seine Exzellenz — mehr weiß ich nicht."

Der Feldwebel behauptete, er müsse noch mehr wissen, und brachte durch lautes Schreien auch glücklich alles aus Töpfer heraus.

Als nun Töpfer traurig in seiner Zelle saß, wünschte er, daß Sasse doch wenigstens auch mit ihm 'reingefallen wäre. Sasse aber wartete bei Pingel mit Schmerzen auf seinen Kameraden, der ihm versprochen hatte, für ihn zu bezahlen. Auf diese Hoff=nung hin hatte Sasse bereits zwei Gläser mehr getrunken, als er bezahlen konnte. Als er nun endlich gehen mußte, hatte er unan=genehme Augenblicke; denn bei Pingel war Hausgesetz: entweder man bezahlte seine Rechnung oder man wurde hinausgeworfen; Kredit gab es nicht beim alten Pingel.

Der Besuch beim Leutnant

IV

Adjutant Busch klopfte mit beiden Fäusten und rief, wenn nicht gleich geöffnet würde, werde er die Tür eintreten. Er meinte die Tür zu seines Kameraden Leutnant von Sturmfelds Wohnung. Die Klingel hatte er schon abgerissen.

5 Dem Hauswirt schien, er habe nun geduldet, was von einem Leutnant zu dulden sei, und machte sich auf, weiteren Lärm zu verbieten. Er beschloß sehr energisch zu sein.

„Sie haben wohl Ihren Schlüssel vergessen, Herr Leutnant?" fragte er, auf der Treppe stehenbleibend. Das nannte er energisch 10 sein.

Adjutant Busch sah sich nach ihm um.

Wo Leutnant von Sturmfeld wäre?

Der Hauswirt wußte es nicht.

Wo des Leutnants Bursche wäre?

15 Auch das wußte der Hauswirt nicht; er meinte aber, er sei vielleicht im Stall bei den Pferden.

Busch ging in den Stall, sah, daß das Pferd fehlte, und riet dem Hauswirt, er solle ihm sagen, wohin Leutnant von Sturmfeld geritten sei.

20 Der Hauswirt antwortete, er wüßte nichts davon.

„Solch ein Leichtsinn!" sagte Busch. „Er hat Stubenarrest und reitet fort? Wo er nur stecken kann! Bis neun werde ich auf ihn warten, aus treuer Kameradschaft; aber dann muß ich zurück und melden — dann melde ich, seine Tür wäre verschlossen und 25 die Klingel abgerissen; das ist sie ja auch."

Fünf Minuten vor neun kam Leutnant von Sturmfeld. Er hielt wegen der Dunkelheit Busch zuerst für seinen Burschen und verlangte von ihm, er solle sein Pferd in den Stall bringen.

„Ich bin's," sagte Busch ernst.

„Das kann ja jeder sagen," erwiderte Otto von Sturmfeld. „Wer ist ich? — Ach, du bist es, Busch. Warum bist du hier? Stehst du freiwillig hier als Wache?"

Busch fing an, ihm eine ernste Rede zu halten, und führte sie auch bis zu Ende durch. Als er fertig war, fragte Otto: „Was hast du da gesagt?"

Busch machte eine Bewegung, als wenn er sich mit der Hand vor die Stirn schlagen wolle.

Sturmfeld begann, nach Töpfer zu rufen. Zwischendurch er-klärte ihm Busch, warum er hier sei und wohin Otto mit ihm kommen solle.

Als weiteres Rufen aussichtslos schien, sagte Otto: „Der Kerl ist noch im Wirtshaus," nahm seinem Pferd selber den Sattel ab, führte es eilig in den Stall mit der Empfehlung, selbst für sich zu sorgen, er habe keine Zeit. Das tat das Pferd denn auch. Am nächsten Morgen hatte es das ganze Futter — für zwei Pferde auf acht Tage — aufgefressen und das schmutzige Wasser, das der faule Töpfer vergessen hatte, ausgetrunken. Zum Glück hat es dem Pferd nicht geschadet; es hatte eben eine gesunde Konstitution.

Strahlend vor Glück und in seiner ganzen jugendlichen Schön-heit trat Otto in das Kasino. Der General saß oben an einem langen Tisch, auf dem eine ganz respektable Anzahl von Flaschen stand. Ehe der Hauptmann von Achtzig ihn noch warnen konnte, schritt Leutnant von Sturmfeld auf den General zu. Überrascht blieb er plötzlich stehen.

Auch der General schien überrascht, und zwar durchaus ange-nehm. Er erhob sich von seinem Stuhl und, ehe Otto noch seine Meldung aussprechen konnte, faßte er des Leutnants Hand, drückte sie warm und fing selber an: „Ah, mein lieber junger Freund! Es ist mir eine Ehre und eine große Freude, in Ihnen einen tapferen Kameraden kennenzulernen. Wo waren Sie denn, daß Sie so spät kommen? Beinahe hätte ich Sie nicht gesehen,

denn in einer Stunde fährt mein Zug ab. Wer ich bin, werden
Sie wohl bereits wissen. Nun sagen Sie mir aber auch Ihren
Namen. Damals trennte uns das Gedränge auf dem Bahnhof
so schnell und Sie schienen es auch so eilig zu haben, mir zu ent=
5 gehen, daß mir keine Zeit blieb, Sie zu fragen."

„Otto von Sturmfeld, Leutnant usw. usw."

„Wie?" fragte der General.

„Otto von Sturmfeld, Leutnant usw. usw."

„Gibt es zwei Sturmfelds beim Regiment?"

10 „Nur mich, Exzellenz, zu Befehl."

„Nur Sie? Herr Hauptmann von Achtzig, ist das Leutnant
von Sturmfeld, der —"

„Zu Befehl, Exzellenz, das ist Leutnant von Sturmfeld,
der —," erwiderte Hauptmann von Achtzig.

15 „Wo wohnen Sie denn, Leutnant?"

Leutnant Otto nannte und beschrieb die Wohnung, wo der
General ihn besucht hatte. Der General schüttelte den Kopf. Er
nahm Otto beiseite.

„Sind Sie der, der gesagt hat, der Teufel solle mich holen und
20 ob ich dummer Kerl gerade heute kommen müsse?"

„Das habe ich leider gesagt, Exzellenz, und wenn Exzellenz mir
verzeihen können —"

„Nun dann —"

„Dann will ich Ihnen auch sagen, warum ich es gesagt habe,
25 Exzellenz. Wenn Exzellenz mir versprechen, daß es unter uns
bleibt."

„Gewiß, weil Sie es sind. Aber einem anderen würde ich kein
solches Versprechen geben."

„Also, weil ich heute nachmittag um die Hand meiner Braut
30 anhalten wollte."

Das wäre ein schlechter Grund, namentlich bei einem Offizier,
meinte Herr von Thurm. „Ja die Weiber, die Weiber!
Hören Sie mal, Sie sagten da eben Braut — ist sie's denn
geworden?"

Otto sah ihn einen Augenblick mit blitzenden Augen an und sagte dann frei und offen: „Ja!"

„Ja? Sie haben doch Stubenarrest gehabt!"

„Exzellenz, ich habe nur um meine Braut angehalten!"

Das wäre gar keine Entschuldigung, behauptete der General. „Wenn ich das Ihrem Hauptmann wieder erzähle —"

Otto schien sich wenig Sorge deshalb zu machen.

Nun fiel dem General ein, daß er jemand acht Tage Stubenarrest gegeben habe. Er berichtete das Nähere und beschrieb die Person.

„Das ist jedenfalls mein Bursche gewesen," meinte Otto trocken.

„Ihr Bursche? Das wäre doch eine unglaubliche Frechheit! Nun, wenn das der Fall ist, soll der Mann seiner strengen Strafe nicht entgehen. Aber jetzt —" Jetzt sprach der General eine Weile lang sehr ernst mit dem Leutnant, und der Leutnant hörte ihm sehr ernst zu, dann wurde noch der Hauptmann gerufen. Der Hauptmann schien die Sache sehr milde zu beurteilen, denn der General schüttelte zu seinen Meinungen verschiedene Male den Kopf. Endlich gaben die drei sich die Hand und machten sehr vergnügte Gesichter.

„Also, Herr Leutnant, ich will den Stubenarrest nicht so streng gemeint haben — mit Seiner Exzellenz Erlaubnis," sagte der Hauptmann von Achtzig, „sonst —"

„Ja, sonst —" sagte auch der General. „Nun, es soll Ihnen verziehen sein; aber nennen Sie Ihre Generale nicht wieder dumme Kerle. Sie gefallen mir übrigens ausgezeichnet. Ein Offizier, wie er sein muß!"

Otto mußte neben dem General Platz nehmen und ihm viel von seiner Braut erzählen. Es wurde recht gemütlich am Kasinotische.

Nur störte Seine Exzellenz noch eines: wer denn der Mensch gewesen sei, den er für den Leutnant gehalten hatte. Weil Otto ganz bestimmt erklärte, es sei sein lieber Töpfer gewesen, so wurde nach Töpfer geschickt.

„Der Musketier befindet sich im Arrest," meldete der abge=
schickte Bursche, nachdem er wieder zurückgekommen war, „und
zwar soll er, wie der Feldwebel mitteilte, von Exzellenz selber
acht Tage erhalten haben, weil er sich eine Offiziersuniform
5 angezogen hatte."

Als der General dies hörte, wollte er vor Lachen sterben, und
ähnlich ging es dem Hauptmann. Und nun half nichts mehr,
der General erbat sich von Otto Erlaubnis, die ganze Geschichte
zu erzählen. So schön hatte man sich im Kasino lange nicht
10 amüsiert, namentlich nicht, wenn ein General da war.

Am nächsten Tage wußten sämtliche Offiziere noch eine zweite
Geschichte zu erzählen, nämlich von einem jungen Herrn, der
einem armen, alten Ehepaar, das seine Billete verloren hatte
und den Zug verlassen sollte, neue Fahrkarten kaufte, ohne lange
15 zu überlegen oder erst lange mit dem Schaffner zu streiten. Ein
gewisser General hatte das gesehen und hätte gern die Bekannt=
schaft dieses jungen Herrn gemacht; dieser hatte aber absichtlich
vermieden, seinen Namen zu nennen. Dies war die erste Begeg=
nung des Herrn von Thurm mit Otto von Sturmfeld gewesen.

Berühmte Deutsche

8. Gotthold Ephraim Lessing
(1729—1781)

Gotthold Ephraim Lessing, der erste Kritiker der deutschen Literatur und der Begründer des modernen deutschen Dramas, wurde am 22. Januar 1729 zu Kamenz in Sachsen geboren. Er war das dritte Kind und der zweite Sohn eines lutherischen Pastors. Es folgten noch neun Kinder nach. Obgleich die Hälfte der Kinder jung starben, war das Einkommen des Vaters kaum genügend, die Familie vor dem Hunger zu schützen. Trotzdem galt es für selbstverständlich, daß die Söhne studierten, falls sie Lust und Talent dazu hatten.

Gotthold bekam zuerst Privatunterricht, dann wurde er in die Stadtschule zu Kamenz geschickt. Im Alter von zwölf Jahren erhielt er ein Stipendium an der bekannten Fürstenschule St. Afra zu Meißen in der Nähe von Dresden, wo er fünf Jahre zubrachte und hauptsächlich alte Sprachen studierte. Gegen Ende seiner Schulzeit soll der Rektor von ihm gesagt haben: „Es ist ein Pferd, das doppeltes Futter haben muß. Die Lektiones, die anderen zu schwer werden, sind ihm kinderleicht. Wir können ihn fast nicht mehr brauchen." Hier auf der Schule fing auch schon die Lust zu produzieren an: es finden sich aus dieser Zeit einige Gedichte und poetische Pläne.

Im Herbst 1746 besuchte er die Universität Leipzig, um Theologie zu studieren, aber er zeigte kein besonderes Interesse dafür und bekam später von seinen Eltern Erlaubnis, Medizin zu studieren. Anfangs war er sehr fleißig und beschäftigte sich nur mit Büchern, aber bald zog es ihn mehr und mehr ins gesellige Leben. „Ich lernte einsehen," heißt es in einem späteren Brief an seine Mutter, „die Bücher würden mich wohl gelehrt, aber nimmer=

mehr zu einem Menschen machen . . . Ich lernte tanzen, fechten, voltigieren. . . . Mein Körper war ein wenig geschickter geworden, und ich suchte Gesellschaft, um nun auch leben zu lernen."

In Leipzig gab es eine gute Theatergesellschaft, und Lessing war hier ein eifriger Besucher. Er bekam Lust, selbst eine Komödie zu schreiben, und erlebte im Alter von neunzehn Jahren den Triumph, daß sein erstes Lustspiel „Der junge Gelehrte" mit Erfolg aufgeführt wurde. Aber Lessing hatte nicht nur selbst leichtsinnig Schulden gemacht, sondern auch noch für die Schulden einiger Mitglieder des Theaters gebürgt. Als daher die Gesellschaft aufgelöst wurde und die Mitglieder Leipzig verließen, ohne ihre Schulden bezahlt zu haben, wurde auch dem jungen Autor und Studenten der Boden zu heiß unter den Füßen. Er ging nach Wittenberg, war aber krank als er dort ankam. Hier wollte er seine Studien an der Universität fortsetzen, aber wegen seiner Schulden mußte er wieder weiter. Er beschloß, in Berlin eine literarische Existenz zu suchen, wie es sein Vetter und Leipziger Universitätsfreund Mylius schon vor ihm getan hatte.

Gegen Ende des Jahres 1748 kam er ohne Wissen der Eltern, in schlechter Kleidung und ohne Geld, in Berlin an. Er mußte sich wieder an seine Eltern wenden, die schon allen Glauben an ihn verloren hatten, und nun, da er in dem ungläubigen Berlin mit dem bösen Mylius zusammen war, sich die schwersten Sorgen um sein Seelenheil machten. Nach und nach besserte sich seine Lage. Er machte Übersetzungen für Buchhändler und auch für Voltaire, schrieb selber Gedichte, Lustspiele und Erzählungen. Ein sicheres Einkommen hatte er nur durch seine Tätigkeit an einer Berliner Zeitung, für die auch Mylius tätig war.

Im Dezember 1751 entschloß er sich, Berlin zu verlassen, um seine Studien in Wittenberg fortzusetzen. Als er ein Jahr später nach Berlin zurückkehrte, nahm er seine freie literarische Tätigkeit wieder auf. Er schrieb wieder Kritiken für die „Vossische Zeitung" und gründete eine neue „Theatralische Bibliothek". Außerdem gab er jetzt die erste Sammlung seiner „Schriften" heraus (1753–

1755): einen Band Gedichte, zwei Bände prosaische Aufsätze, drei Bände dramatische Werke. Das bedeutendste Werk in diesen „Schriften" ist das Trauerspiel „Miß Sara Sampson", in dem Lessing sich völlig von der französischen Dramaturgie abwendet. Wie schon die Namen zeigen, ist das Stück nicht sehr deutsch, sondern Form und Stoff wurden aus England entlehnt. In den Situationen ist es den englischen Familienromanen und bürgerlichen Trauerspielen so ähnlich, daß man es damals ein englisches Trauerspiel nannte.

Lessing war jetzt, im Alter von sechsundzwanzig Jahren, einer der bekanntesten Schriftsteller Deutschlands, und seine Schriften wurden viel gelesen. Unter den Literaten war er wenig beliebt, denn er führte eine spitze Feder und konnte recht ironisch werden. Man muß annehmen, Lessing habe sich in Berlin eine Stellung gewonnen, so gut sie ein freier Schriftsteller in jener Zeit überhaupt haben konnte. Außerdem hatte er in Berlin neben einer großen Zahl von Bekannten viele neue Freunde gefunden. Trotzdem wollte er Berlin wieder verlassen.

Im Oktober 1755 zog er zur Überraschung seiner Freunde plötzlich nach Leipzig. Vielleicht hatte er den Wunsch, mit dem Theater wieder in Fühlung zu kommen, aber anfangs 1756 schreibt er seinen Berliner Freunden, daß er als Begleiter eines jungen Leipziger Patriziers namens Winkler zwei bis drei Jahre auf Reisen gehen würde. Winkler wollte Holland, England, Frankreich und Italien besuchen: eine ausgezeichnete Gelegenheit für Lessing, sich in der Welt umzusehen. Aber die Reisenden kamen nur bis Amsterdam. Da erhielten sie die Nachricht, daß die Preußen (im Siebenjährigen Kriege) in Sachsen eingefallen seien. Sofort eilte Winkler nach Hause zurück, und Lessing mußte ihm natürlich folgen.

Lessing war sehr enttäuscht. Eigentlich hatte er in Leipzig nichts zu tun. Was er dort arbeitete, hätte er ebensogut in Berlin tun können. Trotzdem blieb er in Leipzig, denn er hatte dort einen ganz besonderen Freund gefunden, den vierzehn Jahre älteren Dichter Ewald von Kleist, einen preußischen Major. Zu seinem großen Schmerz wurde ihm dieser, der intimste Freund, den er wohl überhaupt gehabt hat, bald durch den Tod entrissen.

Im Jahre 1758 kehrte Lessing nach Berlin zurück. Mit seinen Freunden Nicolai und Mendelssohn gab er die „Briefe, die neueste Literatur betreffend" heraus und verfaßte auch im ersten Jahre ihres Erscheinens über die Hälfte der Briefe. Seine Aufsätze waren zum großen Teil polemisch, aber sie brachten frische Luft in die dumpfe Atmosphäre der deutschen Literatur. Durch die Briefe hatte sich Lessing die Autorität eines Zensors der deutschen Poesie gewonnen — eine Autorität, die ihm seine Gegner wenigstens durch ihren Haß bezeugten.

Im Herbst 1760 reiste Lessing von Berlin ab, ohne von seinen Freunden Abschied zu nehmen. Einige Wochen später teilte er ihnen mit, daß er die Stelle eines Sekretärs bei dem Gouverneur von Breslau, General von Tauentzien, angenommen habe. Er war wieder unruhig geworden und wünschte eine Veränderung. Er wollte einmal wieder unter Menschen leben statt unter Büchern. Da ihm seine Stellung viel freie Zeit ließ, besuchte er eifrig das Theater und ging viel in Gesellschaft. Besonders liebte er das Spiel so sehr, daß seine Freunde ihn warnen zu müssen glaubten. Trotzdem fand er Zeit zu ernsten Studien in den ausgezeichneten Bibliotheken Breslaus und schrieb während dieser Jahre das klassische Lustspiel der Deutschen, „Minna von Barnhelm", mit dem Siebenjährigen Krieg als Hintergrund. Außerdem sind diese Jahre für den Kritiker und Denker Lessing von großer Bedeutung geworden. Er setzte seine Studien über die Geschichte und Theorie der Kunst fort. Daraus entstand später „Laokoon oder über die Grenzen der Malerei und Poesie" (1766).

Im Jahre 1765 kehrte Lessing nach Berlin zurück, aber er konnte keine passende Stellung finden. Friedrich der Große suchte einen begabten und gelehrten Mann für die Berliner Bibliothek, und Lessing hatte gehofft, diese Stellung zu bekommen, aber weder seine einflußreichen Freunde noch sein neuestes Werk

„Laokoon" konnten ihn dem König genügend empfehlen. Gegen Ende des Jahres 1766 wurde er jedoch als Dramaturg an das neugegründete Nationaltheater in Hamburg berufen.

Eine seiner Hauptaufgaben dort sollte die Leitung einer kritischen Zeitschrift, der „Hamburgischen Dramaturgie", sein, in der er „jeden Schritt begleiten wollte, den die Kunst, sowohl des Dichters wie des Schauspielers, dort tun würde." Aber bald entfernte er sich immer mehr von seiner ursprünglichen Absicht. Die Kritik der Schauspieler gab er bald auf: sie waren zu empfindlich. Trotzdem war die „Hamburgische Dramaturgie" eine nationale Tat ersten Ranges. Das deutsche Drama steht auf den hier gebauten Grundlagen. Aber das Nationaltheater selbst brach bald zusammen. Lessing konnte und mochte nicht länger in Hamburg bleiben.

Im Mai 1770 begann Lessing eine neue Tätigkeit als Bibliothekar der herzoglichen Bibliothek in Wolfenbüttel, die damals eine der bedeutendsten Bibliotheken in Deutschland war. So war denn der Wanderer zur Ruhe gekommen. Wolfenbüttel ist die letzte Station seines unruhigen Lebens geblieben. Jetzt empfand er auch zum ersten Male in seinem Leben den Wunsch, sich zu verheiraten. In Hamburg war er mit der Familie eines Kaufmanns König befreundet gewesen. Als König 1769 plötzlich starb, wurde die Witwe Lessings Verlobte. Aber es dauerte bis 1776, ehe sie sich verheiraten konnten, denn Lessing hatte viele Schulden und seine Verlobte mußte mehrere Jahre in Wien zubringen, um den Kindern einen Teil ihres Vermögens zu retten. Nachdem sie über ein Jahr glücklich zusammen gelebt hatten starb die Frau infolge der Geburt eines Sohnes. Damit war auch Lessings Kraft gebrochen. Drei Jahre später, am 15. Februar 1781, folgte er seiner Frau nach.

In Wolfenbüttel gab Lessing eine Reihe von Werken heraus, die wieder zum großen Teil polemischer Natur waren. Wichtiger für die deutsche Literatur war es, daß er hier sein Meisterwerk „Emilia Galotti" (1772), die erste wirklich deutsche Tragödie, und sein dramatisches Gedicht „Nathan der Weise" (1779) vollendete.

Berühmte Deutsche

9. Friedrich Schiller
(1759—1805)

Der 10. November hat Deutschland zwei seiner größten und besten Söhne geschenkt: Martin Luther und Friedrich Schiller. Letzterer wurde 1759 zu Marbach, einer kleinen Stadt in Württemberg, geboren. Sein Vater war württembergischer Offizier.
5 Im Alter von neun Jahren besuchte Schiller die Lateinschule in Ludwigsburg, der damaligen Residenz des Herzogs Karl Eugen. Dieser suchte für seine neugegründete Akademie in der Nähe von Stuttgart die besten Schüler seines Landes zu bekommen. Zu diesen zählte auch Schiller. Obgleich Friedrich später auf der
10 Universität Theologie studieren wollte, mußten seine Eltern dem ausdrücklichen Wunsche des Herzogs folgen und ihn in die Akademie schicken. Friedrich wählte zuerst die Jurisprudenz, und als dieses Studium ihn nicht befriedigte, die Medizin. Für die kostenlose Erziehung, die er auf der Akademie bekam, mußte sein
15 Vater versprechen, ihn später ganz in den Dienst des Herzogs treten zu lassen, und er durfte diesen dann auch später ohne besondere Erlaubnis nicht verlassen.

Das Leben in der Akademie war sehr streng. Sieben Jahre lang mußte Schiller getrennt vom Vaterhause leben. Ferien gab
20 es nicht. Die Eltern kamen wohl nur selten zu Besuch und die Schwestern wahrscheinlich gar nicht. Schiller sagte später darüber: „Die Tore der Akademie öffneten sich Frauenzimmern nur, ehe sie anfingen, interessant zu werden, und wenn sie aufgehört hatten, es zu sein." Schiller war sehr begabt und fleißig und
25 gewann verschiedene Preise. Die größte Freude aber machte ihm die Lektüre deutscher Dichter. Auch fing er selbst zu dichten an und arbeitete besonders an dem gewaltigen revolutionären Drama „Die Räuber", das er 1780 vollendete.

Ende 1780 mit der Entlassung aus der Akademie wurde Schiller Regimentsmedikus, aber er bekam nur ein kleines Gehalt, und er durfte neben seinem Militärdienst keine Privatpraxis haben. Da er keinen Verleger für die „Räuber" finden konnte, zahlte er selbst für die Druckkosten, und das Werk erschien im Jahre 1781. Aber das Geld mußte er borgen, und diese Schulden machten ihm noch lange das Leben schwer. Im Januar 1782 wurden die „Räuber" in Mannheim aufgeführt, und der Erfolg war gewaltig. Bald wurde das Stück in den meisten Theatern Deutschlands gespielt. Schiller war plötzlich ein berühmter Mann geworden.

Der Dichter war schon zur ersten Aufführung ohne Erlaubnis nach Mannheim gereist, und im Mai machte er eine zweite heimliche Reise dorthin. Als der Herzog davon erfuhr, gab er Schiller vierzehn Tage Arrest und verbot ihm, das Land je wieder zu verlassen. Später verbot er ihm sogar überhaupt, Dramen zu schreiben. Es blieb ihm also nichts übrig, als zu fliehen. Ein guter Freund begleitete ihn nach Mannheim. Er kam nicht mit leeren Händen, sondern brachte sein zweites Drama „Fiesko" mit. Das Stück wurde aber von dem Mannheimer Theater nicht angenommen. Bald war Schiller in größter Not und mußte wieder Schulden machen.

Während eines sechsmonatlichen Aufenthaltes auf einem Gute in Bauernbach, wo er durch die Güte einer Frau von Wolzogen ein willkommenes Asyl fand, vollendete er sein drittes Drama „Kabale und Liebe", ein bürgerliches Trauerspiel. Dies machte so großen Eindruck in Mannheim, daß er einen Kontrakt als Theaterdichter auf ein Jahr bekam. Dafür sollte er dem Theater drei Stücke überlassen: „Fiesko", „Kabale und Liebe" und ein drittes, das er innerhalb eines Jahres vollenden sollte. „Fiesko" wurde im Januar 1784 aufgeführt, aber ohne großen Erfolg. „Kabale und Liebe" jedoch wurde im April desselben Jahres stürmisch begrüßt.

Als sich sein erstes Jahr als Theaterdichter dem Ende näherte,

hatte Schiller das dritte Stück noch nicht geschrieben. Dennoch
hoffte er, daß sein Kontrakt erneuert werde, aber vergeblich. Der
Intendant des Theaters war froh, den armen Dichter loszu=
werden. Er hatte ihm schon früher geraten, zur Medizin zurück=
5　zukehren. Jetzt war Schiller wieder ohne Amt, und wie sollte
er nun seine Schulden bezahlen? Diese Frage beschäftigte ihn
Tag und Nacht. Zur Medizin wollte er nicht zurückkehren. Er
wurde also endgültig Schriftsteller und gab ein neues Journal
heraus, „Die Rheinische Thalia“, seit dem zweiten Heft einfach
10　„Thalia“.

Ein halbes Jahr vorher hatte er einen höchst freundlichen
Brief von unbekannten Bewunderern aus Leipzig erhalten. Einer
von diesen war Gottfried Körner, ein hoher Beamter am Gericht.
Jetzt wandte sich Schiller an diese Freunde mit der Nachricht,
15　daß er Mannheim verlassen müsse, und ob sie ihm vielleicht drei=
hundert Taler borgen könnten? Körner sandte sogleich die ge=
wünschte Summe und lud ihn ein, nach Leipzig zu kommen.
Schiller machte sich auf den Weg. Im April 1785 kam er dort
an. Körner war inzwischen nach Dresden versetzt worden, aber
20　sein Freund Huber sorgte für Schiller und machte ihn in der
Stadt bekannt. So lernte er bald verschiedene berühmte Künstler
und Schriftsteller kennen. Im September zog er nach Dresden,
um Körner so nahe wie möglich zu sein. In Körners Hause,
eine Stunde von Dresden, fand er eine neue Heimat und fühlte
25　sich wie im Himmel. Zwei glückliche Jahre brachte Schiller unter
den Freunden zu. Er arbeitete eifrig am „Don Karlos“, den er
in Dresden vollendete. Hier begann er auch das Studium der
Geschichte, die ihm täglich teurer wurde und für sein Leben große
Bedeutung gewinnen sollte.

30　Aber nach und nach sah Schiller ein, daß er sich von Körner
trennen müsse, um wirklich selbständig zu werden. Der berühm=
teste Schauspieler seiner Zeit, Friedrich Schröder, Theaterdirektor
in Hamburg, hatte ihn schon vor längerer Zeit eingeladen. Jetzt
sandte Schiller ihm seinen „Don Karlos“, und mit dem Geld,

das er dafür bekam, konnte er Dresden verlassen. Einen bestimm=
ten Plan hatte er nicht, aber er wollte über Weimar reisen. Dort
lebte seine Mannheimer Freundin Charlotte von Kalb, dort lebten
ferner Herder und Wieland. Letzterer hatte ihn zur Mitarbeit an
seinem „Teutschen Merkur" eingeladen. Dort lebte endlich der
große Dichter, den er hoch verehrte, Goethe. So zog er denn voll
froher Hoffnung nach Weimar.

Im Juli 1787 kam Schiller in Weimar an. Charlotte von
Kalb begrüßte ihn mit größter Freude und machte ihn in der
Stadt bekannt. Durch sie wurde er auch der Herzogin Amalia
vorgestellt. Wieland empfing ihn mit offenen Armen, und Herder
hieß ihn willkommen. Goethe war noch in Italien. Aber um zu
leben, mußte Schiller auch fleißig arbeiten. Seine Hauptarbeit
war die Geschichte der Rebellion der Niederlande, die er schon in
Dresden begonnen hatte und jetzt eifrig fortsetzte. Er fühlte sich
in Weimar immer mehr heimisch und schrieb Schröder nach
Hamburg, daß er vorläufig in Weimar bleiben wolle.

Im Herbst 1788 erschien sein großes Werk über den Abfall der
Niederlande und brachte ihm großen Ruhm. Daraufhin erhielt er
nun einen Ruf als Professor der Geschichte und Philosophie nach
Jena. Goethe selbst hatte ihn dem Herzog vorgeschlagen. Vor=
läufig war die Stelle ohne Gehalt, und es war deshalb kein
materieller Gewinn für den Dichter, wenn er die Professur an=
nahm. Aber Schiller dachte daran, sich zu verheiraten, und da
mit dieser Professur doch wenigstens ein Anfang zu einer festen
sozialen Stellung gemacht war, konnte er eher an eine Heirat
denken. Im Mai 1789 hielt er in dem größten Auditorium
Jenas vor 400–500 Studenten seine erste Vorlesung. Das
Thema bildete die Frage: „Was heißt, und zu welchem Ende
studiert man Universalgeschichte?"

In diesem Sommer verlobte er sich heimlich mit Charlotte
von Lengefeld. Nun bat er den Herzog um ein Gehalt, und es
wurden ihm wirklich zweihundert Taler versprochen. Das war
allerdings wenig, aber was er sonst brauchte, hoffte Schiller als

Schriftsteller zu verdienen. Inzwischen hatte er bei der Mutter
um Lottes Hand angehalten und ihre Zustimmung erhalten.
Im Februar 1790 fand die Hochzeit statt.

Jetzt aber begann für ihn trotz allen häuslichen Glücks der
5 Ernst des Lebens erst recht. Er mußte den größten Teil seines
Unterhalts als Schriftsteller verdienen und begann nun die große
Arbeit an der Geschichte des Dreißigjährigen Krieges.

Anfang des nächsten Jahres jedoch wurde Schiller schwer
krank. Er war dem Tode nahe. Von Vorlesungen konnte vor-
10 läufig keine Rede mehr sein. Der Herzog dispensierte ihn auf
seine Bitte. Aber er durfte auch nicht mehr so fleißig arbeiten.
Die Frage seiner künftigen Existenz machte ihm schwere Sorgen.
Da kam ganz unerwartet, wie von Gott gesandt, Hilfe aus
Dänemark. Zwei reiche Bewunderer boten dem Dichter jährlich
15 1000 Taler auf drei Jahre als Geschenk an, „um der Menschheit
einen ihrer Lehrer zu erhalten." Jetzt war er vorläufig frei von
pekuniären Sorgen, und dies hatte einen guten Einfluß auf seine
Gesundheit.

Im Sommer 1793 konnte er endlich daran denken, seine
20 längst geplante Reise in die württembergische Heimat zu machen.
In Heilbronn am Neckar sah er seinen Vater und seine Schwester
Luise nach elf Jahren zum erstenmal wieder. Hier blieb er vier
Wochen und bat von hier aus den Herzog Karl Eugen um Erlaubnis, nach Württemberg zu kommen. Er erhielt keine Ant-
25 wort, aber man gab ihm zu verstehen, der Herzog werde ihn
ignorieren, wenn er ins Land käme. Das genügte Schiller. Er
hatte von dem todkranken Herzog nichts mehr zu befürchten.
Nun ging Schiller nach Ludwigsburg, um seiner Familie nahe
zu sein. Kaum war er dort angekommen, als ihm sein erster
30 Sohn geboren wurde. Schiller war äußerst glücklich, nun auch
ein Kind sein eigen zu nennen.

Nach seiner Rückkehr nach Weimar kamen Schiller und Goethe
einander immer näher und wurden schließlich intime Freunde.
Schiller kehrte jetzt ganz zur Dichtung zurück, und obgleich er

durch Krankheit viel gehindert wurde, schrieb er in den nächsten Jahren viele seiner bedeutendsten Gedichte und besonders die Dramen „Wallenstein", „Maria Stuart" und „Wilhelm Tell". Er starb am 9. Mai 1805, noch ehe er sein sechsundvierzigstes Jahr erreichte.

5

Berühmte Deutsche

10. Johann Wolfgang Goethe
(1749—1832)

Während Lessing, Schiller und Wagner beinahe ihr ganzes
Leben lang gegen Armut und Not zu kämpfen hatten, wuchs
Goethe als Sohn eines wohlhabenden Mannes auf. Er wurde
am 28. August 1749 in der alten freien Reichsstadt Frankfurt
am Main geboren. Die Ahnen von väterlicher Seite waren
Handwerker, Bäcker, Schneider und wohlhabende Gastwirte gewesen, die mütterlichen aber waren studierte Leute, Juristen und
Ratsherren. Goethes Vater, ein kalter, ernster, pedantischer und
steifer Mann, der Jurisprudenz studiert hatte und sehr gebildet
war, lebte als Privatmann in seinem Frankfurter Hause. Mit
achtunddreißig Jahren heiratete er die siebzehnjährige Tochter des
Schultheißen Johann Wolfgang Textor. Diese war von son-
niger, lebensfroher, gesunder Natur, voll Phantasie und Humor.
Der älteste Sohn dieser Ehe war der Dichter; von mehreren
später geborenen Geschwistern blieb nur die Schwester Cornelia
am Leben.

Goethe bekam zuerst Unterricht von seinem Vater und dann
durch Privatlehrer. Der Knabe lernte mehrere Sprachen, las die
Bibel, deutsche und ausländische Dichtungen und fing selbst an zu
dichten. Die Franzosen, die während des Siebenjährigen Krieges
in Frankfurt waren, hatten ihr eigenes Theater in der Stadt.
Der junge Goethe besuchte es oft und lernte nicht nur die Sprache,
sondern auch die klassische und die damals neueste Dramatik der
Franzosen kennen. Mit sechzehn Jahren zog er nach Leipzig auf
die Universität, um Jurisprudenz zu studieren. Aber er war
geistig seinem Alter schon weit voraus. Die trockenen Vorlesungen interessierten ihn nicht. Theater, Literatur, Kunst, die

feine Gesellschaft waren sein Element. Auch sein poetisches Talent reifte zu dieser Zeit heran. „Es begann diejenige Richtung," erzählt er, „von der ich mein ganzes Leben über nicht abweichen konnte, nämlich dasjenige, was mich erfreute oder quälte oder sonst beschäftigte, in ein Bild, ein Gedicht zu verwandeln und darüber mit mir selbst abzuschließen." Eine gefährliche Erkrankung zwang ihn, schon im August 1768 nach Hause zurückzukehren.

Während des ganzen Jahres 1769 dauerte die Krankheit fort, und Goethe brachte beinahe zwei Jahre zu Hause zu, sich langsam erholend und innerlich reifend. Während dieser Zeit beschäftigte er sich viel mit Alchemie und Magie und Schriften, die das Geheimnis der jenseitigen Welt erklären sollten.

Im April 1770 ging er nach Straßburg, wo er nach dem Plan des Vaters die juristischen Studien mit dem Doktortitel abschließen sollte. Im August 1771 bekam er den Titel Lizentiat, was ungefähr dem Doktortitel gleich war, und seine Freunde nannten ihn jetzt „Doktor Goethe". Aber Goethe hatte kein großes Interesse für Jurisprudenz, er beschäftigte sich hauptsächlich mit naturwissenschaftlichen und medizinischen Studien. Was ihn an Straßburg fesselte, war vor allem die herrliche Landschaft, der angenehme Charakter der Bevölkerung, eine Anzahl bedeutender Männer in der Stadt, endlich die Liebe zu Friederike, der reizenden Tochter des Pfarrers Brion von Sesenheim. Trotz neunzigjähriger Herrschaft der Franzosen waren die Stadt Straßburg und das Land Elsaß deutsch geblieben. An der Universität lehrten deutsche Professoren. Und gerade der Gegensatz zu den Franzosen schärfte das deutsche Nationalgefühl. Das größte Straßburger Erlebnis Goethes war nächst seiner Liebe zu Friederike die Bekanntschaft mit Herder, der ihm die Augen öffnete für die Größe Homers und Shakespeares und die Bedeutung der Volkspoesie.

Im Herbst 1771 ins väterliche Haus zurückgekehrt, wurde er viel freundlicher empfangen als bei der Heimkehr von Leipzig. Goethe ließ sich als Advokat nieder, wobei jedoch sein Vater die

Hauptarbeit auf sich nahm. Der Vater begann sich jetzt auch für
die literarischen Pläne und Arbeiten des Sohnes lebhaft zu interessieren. Im Mai 1772 ging Goethe nach dem Plan des
Vaters nach Wetzlar und wurde Praktikant beim Reichskammer-
5 mergericht. Hier traf er eine Anzahl gebildeter junger Männer.
Ein sehr gefährliches Erlebnis für ihn wurde die Liebe zu Charlotte Buff, die schon mit einem anderen verlobt war. Goethe
rettete sich aus diesem Konflikt zwischen Liebe und Pflicht durch
plötzliche Abreise. Dieses Erlebnis und der Selbstmord eines
10 Bekannten aus unglücklicher Liebe zur Frau eines anderen gaben
ihm den Stoff zu dem Roman „Die Leiden des jungen Werthers".

Goethe ließ sich jetzt dauernd in Frankfurt nieder. Es folgte
eine Zeit erstaunlich fruchtbarer dichterischer Tätigkeit. Außer
dem Werther-Roman war das bedeutendste Werk dieser Periode
15 die Umarbeitung des Dramas „Götz von Berlichingen", ein Versuch ein deutsches Drama nach dem Muster Shakespeares zu
schreiben, und der Plan zu „Faust", das den Höhepunkt mensch-
licher Tragik in Gestalt des bürgerlichen Dramas gebildet hätte,
wenn der Plan jetzt ausgeführt worden wäre.

20 Im Herbst 1774 lernte Goethe Lili Schönemann, die reizende
Tochter eines Frankfurter Bankiers, kennen. Auf den ersten
Blick flammte sein Herz in Liebe zu ihr, und sie verlobten sich.
Lili war vielleicht von allen Frauen seine größte Liebe und wäre
am würdigsten gewesen, seine Frau zu werden. Aber Goethe
25 fühlte auch den großen Unterschied zwischen sich und ihrem Kreise
und fürchtete, durch eine Heirat mit ihr seine eigene Unabhängigkeit zu verlieren. Eine Lösung dieses Konflikts fand er weder auf
einer Reise nach der Schweiz im Mai und Juni 1775 noch durch
seine Arbeit an dem Drama „Egmont"; sie kam vielmehr von außen.

30 Ende 1774 hatte Goethe die Bekanntschaft des siebzehnjährigen
Erbprinzen Karl August von Weimar gemacht. Wie alle Menschen, Männer und Frauen, die in Goethes Nähe kamen, war
auch er von Goethes Persönlichkeit bezaubert. Als er im folgenden Jahre Herzog wurde, lud er Goethe nach Weimar ein.

Im November 1775 kam Goethe dort als Freund und Gast des
Herzogs an und blieb bis zu seinem Tode. Das Leben verging
den beiden Freunden bald in einer endlosen Reihe von Festen,
Bällen, Maskeraden, wilden Ritten, Trinkereien, Liebeleien. Es
gelang Goethe aber in kurzer Zeit, sich selbst und später auch den   5
Herzog zu weiser Mäßigung zu erziehen.

Schon im nächsten Jahre wurde Goethe Mitglied des Kabi-
netts, und 1782 wurde er der erste Minister des Landes und blieb
vier Jahre an der Spitze des Staates. Mit unermüdlichem
Eifer arbeitete er an der Aufgabe, aus dem Herzogtum einen   10
Musterstaat zu machen. Aber er fand auch Zeit zu ernsten Studien in Geologie und Botanik, Anatomie, Mineralogie, Meteoro-
logie, Chemie und Farbenlehre. Goethes Methode war experi-
mentell und führte in der Botanik und Anatomie zu selbständigen
und wichtigen Entdeckungen.   15

Neben dieser Arbeit hatte die Freundschaft mit Charlotte von
Stein, der Frau eines Weimarer Hofbeamten, viele Jahre lang
einen starken Einfluß auf Goethe. Auch die schöne Sängerin
Corona Schröter, die sich gegen Ende des Jahres 1776 in Weimar niederließ, gewann sein Herz.   20

Durch Goethe wurde Herder 1776 als protestantischer General-
superintendent nach Weimar berufen. Die Straßburger Freundschaft lebte nun wieder auf. Während Goethe viel von den philosophischen und historischen Studien Herders lernte, zog dieser aus
Goethes praktischer Erfahrung und naturwissenschaftlichen Stu-   25
dien großen Nutzen. Auch mit Wieland, der in Weimar lebte, kam
Goethe oft zusammen. Obgleich ihn Goethe vor seiner Ankunft in
Weimar in der Satire „Götter, Helden und Wieland" angegriffen
hatte, verzieh Wieland ihm nicht nur gern, sondern „seine Seele
war so voll von Goethe wie ein Tautropfen von der Sonne."   30

Im September 1779 machte Goethe mit dem Herzog eine
Reise nach der Schweiz. Auf derselben sah er sein Vaterhaus in
Frankfurt, Friederike Brion in Sesenheim und Lili in Straßburg
als Frau von Türckheim wieder.

Die langen Jahre praktischer Arbeit, die philosophischen und naturwissenschaftlichen Studien haben Goethe nicht von seiner höchsten Lebensaufgabe abgezogen, wie manche Freunde fürchteten, sondern haben ihn zu dem universalen Menschen und Dichter
5 gemacht, den die Welt heute bewundert. Sein Genius führte ihn den rechten Weg. Als die Arbeit ihn zu erdrücken anfing, gab er sie auf und ging nach Italien, wo er beinahe zwei Jahre zubrachte (1786–1788). Nach seiner Rückkehr sprach er dem Herzog seinen Wunsch aus, von jetzt an nur als Künstler und Schriftsteller
10 leben zu wollen, und er wurde dann auch von der Mehrzahl seiner amtlichen Pflichten befreit. Er behielt nur diejenigen bei, die mit Kunst, Wissenschaft und Theater zu tun hatten.

Die Freundschaft mit Schiller seit dem Jahre 1794 hatte einen günstigen Einfluß auf Goethe. Jetzt fühlte er, daß er einen
15 Mann neben sich hatte, der ihn völlig verstand. Goethe bekannte dem Freunde: „Sie haben mich von der allzu strengen Beobach= tung der äußeren Dinge und ihrer Verhältnisse auf mich selbst zurückgeführt. Sie haben mich die Vielseitigkeit des inneren Menschen mit mehr Billigkeit anzuschauen gelehrt. Sie haben
20 mir eine zweite Jugend verschafft und mich wieder zum Dichter gemacht, welches zu sein ich so gut als aufgehört hatte." Ebenso= sehr hat Goethe aus dem Historiker und Philosophen Schiller wieder den Dichter gemacht und in noch weiterem Sinne den Künstler.

25 Nach Schillers frühem Tode wurde Goethe immer einsamer. Wohl erfuhr er noch genug Liebe, Verehrung und Bewunderung, noch hatte er Freunde um sich, aber das beglückende Gefühl voll= sten Verstehens kam nie wieder. Dazu kamen persönliche Ver= luste. 1808 starb seine Mutter, 1813 Wieland, der treue „Bruder
30 und Freund," 1816 seine Frau Christiane, 1828 der Herzog Karl August, 1830 sein einziger Sohn. Zwei Monate nachdem er den zweiten Teil des „Faust" vollendet hatte, am 22. März 1832, in seinem dreiundachtzigsten Lebensjahre, endete schmerzlos und sanft sein Leben.

Gedichte

Wenn ich ein Vöglein wär'

Wenn ich ein Vöglein wär'
Und auch zwei Flüglein hätt',
Flög' ich zu dir;
Weil's aber nicht kann sein,
Bleib' ich allhier.

Bin ich gleich weit von dir,
Bin ich doch im Schlaf bei dir
Und red' mit dir.
Wenn ich erwachen tu',
Bin ich allein.

Es vergeht keine Stund' in der Nacht,
Da mein Herze nicht erwacht
Und an dich gedenkt,
Daß du mir viel tausendmal
Dein Herz geschenkt.

VOLKSLIED.

Das Veilchen

Ein Veilchen auf der Wiese stand
Gebückt in sich und unbekannt;
Es war ein herzig's Veilchen.
Da kam eine junge Schäferin,
Mit leichtem Schritt und munterm Sinn,
Daher, daher,
Die Wiese her, und sang.

Ach! denkt das Veilchen, wär' ich nur
Die schönste Blume der Natur,
Ach, nur ein kleines Veilchen,
Bis mich das Liebchen abgepflückt
Und an dem Busen matt gedrückt!
Ach nur, ach nur
Ein Viertelstündchen lang!

Ach! aber ach! das Mädchen kam
Und nicht in acht das Veilchen nahm,
Ertrat das arme Veilchen.
Es sank und starb und freut' sich noch:
Und sterb' ich denn, so sterb' ich doch
Durch sie, durch sie,
Zu ihren Füßen doch.

GOETHE.

Erster Verlust

Ach, wer bringt die schönen Tage,
Jene Tage der ersten Liebe,
Ach, wer bringt nur eine Stunde
Jener holden Zeit zurück!

Einsam nähr' ich meine Wunde,
Und mit stets erneuter Klage
Traur' ich ums verlorne Glück.

Ach, wer bringt die schönen Tage,
Jene holde Zeit zurück!

GOETHE.

Erlkönig

Wer reitet so spät durch Nacht und Wind?
Es ist der Vater mit seinem Kind;
Er hat den Knaben wohl in dem Arm,
Er faßt ihn sicher, er hält ihn warm.

Mein Sohn, was birgst du so bang dein Gesicht? —
Siehst, Vater, du den Erlkönig nicht?
Den Erlenkönig mit Kron' und Schweif? —
Mein Sohn, es ist ein Nebelstreif. —

„Du liebes Kind, komm, geh mit mir!
Gar schöne Spiele spiel' ich mit dir;
Manch bunte Blumen sind an dem Strand;
Meine Mutter hat manch gülden Gewand."

Mein Vater, mein Vater, und hörest du nicht,
Was Erlenkönig mir leise verspricht? —
Sei ruhig, bleibe ruhig, mein Kind;
In dürren Blättern säuselt der Wind. —

„Willst, feiner Knabe, du mit mir gehn?
Meine Töchter sollen dich warten schön;
Meine Töchter führen den nächtlichen Reihn,
Und wiegen und tanzen und singen dich ein."

Mein Vater, mein Vater, und siehst du nicht dort
Erlkönigs Töchter am düstern Ort? —
Mein Sohn, mein Sohn, ich seh' es genau;
Es scheinen die alten Weiden so grau. —

„Ich liebe dich, mich reizt deine schöne Gestalt;
Und bist du nicht willig, so brauch' ich Gewalt."
Mein Vater, mein Vater, jetzt faßt er mich an!
Erlkönig hat mir ein Leids getan! —

Dem Vater grauset's, er reitet geschwind,
Er hält in den Armen das ächzende Kind,
Erreicht den Hof mit Mühe und Not;
In seinen Armen das Kind war tot.

GOETHE.

Das Mädchen aus der Fremde

In einem Tal bei armen Hirten
Erschien mit jedem jungen Jahr,
Sobald die ersten Lerchen schwirrten,
Ein Mädchen, schön und wunderbar.

Sie war nicht in dem Tal geboren,
Man wußte nicht, woher sie kam,
Und schnell war ihre Spur verloren,
Sobald das Mädchen Abschied nahm.

Beseligend war ihre Nähe,
Und alle Herzen wurden weit;
Doch eine Würde, eine Höhe
Entfernte die Vertraulichkeit.

Sie brachte Blumen mit und Früchte,
Gereift auf einer andern Flur,
In einem andern Sonnenlichte,
In einer glücklichern Natur.

Und teilte jedem eine Gabe,
Dem Früchte, jenem Blumen aus;
Der Jüngling und der Greis am Stabe,
Ein jeder ging beschenkt nach Haus.

Willkommen waren alle Gäste;
Doch nahte sich ein liebend Paar,
Dem reichte sie der Gaben beste,
Der Blumen allerschönste dar.

SCHILLER.

Hoffnung

Es reden und träumen die Menschen viel
Von bessern künftigen Tagen,
Nach einem glücklichen, goldenen Ziel
Sieht man sie rennen und jagen.
Die Welt wird alt und wird wieder jung,
Doch der Mensch hofft immer Verbesserung.

Die Hoffnung führt ihn ins Leben ein,
Sie umflattert den fröhlichen Knaben,
Den Jüngling locket ihr Zauberschein,
Sie wird mit dem Greis nicht begraben;
Denn beschließt er im Grabe den müden Lauf,
Noch am Grabe pflanzt er — die Hoffnung auf.

Es ist kein leerer, schmeichelnder Wahn,
Erzeugt im Gehirne des Toren;
Im Herzen kündet es laut sich an:
Zu was Besserm sind wir geboren.
Und was die innere Stimme spricht,
Das täuscht die hoffende Seele nicht.

SCHILLER.

Des Knaben Berglied

Ich bin vom Berg der Hirtenknab',
Seh' auf die Schlösser all herab;
Die Sonne strahlt am ersten hier,
Am längsten weilet sie bei mir;
Ich bin der Knab' vom Berge!

Hier ist des Stromes Mutterhaus,
Ich trink' ihn frisch vom Stein heraus;
Er braust vom Fels in wildem Lauf,
Ich fang' ihn mit den Armen auf;
Ich bin der Knab' vom Berge!

Der Berg, der ist mein Eigentum,
Da ziehn die Stürme rings herum;
Und heulen sie von Nord und Süd,
So überschallt sie doch mein Lied:
Ich bin der Knab' vom Berge!

Sind Blitz und Donner unter mir,
So steh' ich hoch im Blauen hier;
Ich kenne sie und rufe zu:
Laßt meines Vaters Haus in Ruh'!
Ich bin der Knab' vom Berge!

Und wann die Sturmglock' einst erschallt,
Manch Feuer auf den Bergen wallt,
Dann steig' ich nieder, tret' ins Glied
Und schwing' mein Schwert und sing' mein Lied:
Ich bin der Knab' vom Berge!

LUDWIG UHLAND (1787–1862).

Das zerbrochene Ringlein

In einem kühlen Grunde
Da geht ein Mühlenrad,
Mein' Liebste ist verschwunden,
Die dort gewohnet hat.

Sie hat mir Treu' versprochen,
Gab mir ein'n Ring dabei,
Sie hat die Treu' gebrochen,
Mein Ringlein sprang entzwei.

Ich möcht' als Spielmann reisen
Weit in die Welt hinaus,
Und singen meine Weisen,
Und gehn von Haus zu Haus.

Ich möcht' als Reiter fliegen
Wohl in die blut'ge Schlacht,
Um stille Feuer liegen
Im Feld bei dunkler Nacht.

Hör' ich das Mühlrad gehen,
Ich weiß nicht, was ich will —
Ich möcht' am liebsten sterben.
Da wär's auf einmal still.

JOSEPH VON EICHENDORFF (1788–1857).

Abendlandschaft

Der Hirt bläst seine Weise,
Von fern ein Schuß noch fällt,
Die Wälder rauschen leise
Und Ströme tief im Feld.

Nur hinter jenem Hügel
Noch spielt der Abendschein —
O hätt' ich, hätt' ich Flügel,
Zu fliegen da hinein!

EICHENDORFF.

Der Lindenbaum

Am Brunnen vor dem Tore
Da steht ein Lindenbaum;
Ich träumt' in seinem Schatten
So manchen schönen Traum.

Ich schnitt in seine Rinde
So manches liebe Wort;
Es zog in Freud' und Leide
Zu ihm mich immerfort.

Ich mußt' auch heute wandern
Vorbei in tiefer Nacht,
Da hab' ich noch im Dunkel
Die Augen zugemacht.

Und seine Zweige rauschten,
Als riefen sie mir zu:
Komm her zu mir, Geselle,
Hier find'st du deine Ruh'!

Die kalten Winde bliesen
Mir grad ins Angesicht,
Der Hut flog mir vom Kopfe,
Ich wendete mich nicht.

Nun bin ich manche Stunde
Entfernt von jenem Ort,
Und immer hör' ich's rauschen:
Du fändest Ruhe dort!

WILHELM MÜLLER (1794–1827).

Die Grenadiere

Nach Frankreich zogen zwei Grenadier',
Die waren in Rußland gefangen.
Und als sie kamen ins deutsche Quartier,
Sie ließen die Köpfe hangen.

Da hörten sie beide die traurige Mär':
Daß Frankreich verloren gegangen,
Besiegt und zerschlagen das große Heer, —
Und der Kaiser, der Kaiser gefangen.

Da weinten zusammen die Grenadier'
Wohl ob der kläglichen Kunde.
Der eine sprach: „Wie weh wird mir,
Wie brennt meine alte Wunde!"

Der andre sprach: „Das Lied ist aus,
Auch ich möcht' mit dir sterben,
Doch hab ich Weib und Kind zu Haus,
Die ohne mich verderben.

Was schert mich Weib, was schert mich Kind!
Ich trage weit beßres Verlangen;
Laß sie betteln gehn, wenn sie hungrig sind, —
Mein Kaiser, mein Kaiser gefangen!

Gewähr' mir, Bruder, eine Bitt':
Wenn ich jetzt sterben werde,
So nimm meine Leiche nach Frankreich mit,
Begrab' mich in Frankreichs Erde.

Das Ehrenkreuz am roten Band
Sollst du aufs Herz mir legen;
Die Flinte gib mir in die Hand,
Und gürt' mir um den Degen.

So will ich liegen und horchen still,
Wie eine Schildwach', im Grabe,
Bis einst ich höre Kanonengebrüll
Und wiehernder Rosse Getrabe.

Dann reitet mein Kaiser wohl über mein Grab,
Viel Schwerter klirren und blitzen;
Dann steig' ich gewaffnet hervor aus dem Grab, —
Den Kaiser, den Kaiser zu schützen."

HEINRICH HEINE (1797–1856).

Wo?

Wo wird einst des Wandermüden
Letzte Ruhestätte sein?
Unter Palmen in dem Süden?
Unter Linden an dem Rhein?

Werd' ich wo in einer Wüste
Eingescharrt von fremder Hand?
Oder ruh' ich an der Küste
Eines Meeres in dem Sand?

Immerhin! Mich wird umgeben
Gotteshimmel, dort wie hier,
Und als Totenlampen schweben
Nachts die Sterne über mir.

HEINE.

Mein Vaterland

Treue Liebe bis zum Grabe
Schwör' ich dir mit Herz und Hand:
Was ich bin und was ich habe,
Dank' ich dir, mein Vaterland.

Nicht in Worten nur und Liedern
Ist mein Herz zum Dank bereit;
Mit der Tat will ich's erwidern
Dir in Not, in Kampf und Streit.

In der Freude, wie im Leide
Ruf' ich's Freund und Feinden zu:
Ewig sind vereint wir beide,
Und mein Trost, mein Glück bist du.

Treue Liebe bis zum Grabe
Schwör' ich dir mit Herz und Hand:
Was ich bin und was ich habe,
Dank' ich dir, mein Vaterland.

HOFFMANN VON FALLERSLEBEN (1798–1874).

Schön-Rohtraut

Wie heißt König Ringgangs Töchterlein?
　　Rohtraut, Schön-Rohtraut.
Was tut sie denn den ganzen Tag,
Da sie wohl nicht spinnen und nähen mag?
　　Tut fischen und jagen.
O daß ich doch ihr Jäger wär'!
Fischen und Jagen freute mich sehr.
　　Schweig stille, mein Herze!

Und über eine kleine Weil',
　　Rohtraut, Schön-Rohtraut,
So dient der Knab' auf Ringgangs Schloß
In Jägertracht und hat ein Roß,
　　Mit Rohtraut zu jagen.
O daß ich doch ein Königssohn wär'!
Rohtraut, Schön-Rohtraut lieb' ich so sehr.
　　Schweig stille, mein Herze!

Einstmals sie ruhten am Eichenbaum,
　　Da lacht Schön-Rohtraut:
„Was siehst mich an so wunniglich?
Wenn du das Herz hast, küsse mich!"
　　Ach! erschrak der Knabe!
Doch denket er: mir ist's vergunnt,
Und küsset Schön-Rohtraut auf den Mund.
　　Schweig stille, mein Herze!

Darauf sie ritten schweigend heim,
  Rohtraut, Schön=Rohtraut;
Es jauchzt der Knab' in seinem Sinn:
Und würd'st du heute Kaiserin,
  Mich sollt's nicht kränken:
Ihr tausend Blätter im Walde wißt,
Ich hab' Schön=Rohtrauts Mund geküßt!
  Schweig stille, mein Herze!

Eduard Mörike (1804–1875).

Denk' es, o Seele

Ein Tännlein grünet wo,
Wer weiß? im Walde,
Ein Rosenstrauch, wer sagt,
In welchem Garten?
Sie sind erlesen schon —
Denk' es, o Seele! —
Auf deinem Grab zu wurzeln
Und zu wachsen.

Zwei schwarze Rößlein weiden
Auf der Wiese,
Sie kehren heim zur Stadt
In muntern Sprüngen.
Sie werden schrittweis gehn
Mit deiner Leiche,
Vielleicht, vielleicht noch eh'
An ihren Hufen
Das Eisen los wird,
Das ich blitzen sehe.

Mörike.

Frauenhand

Ich weiß es wohl, kein klagend Wort
Wird über deine Lippen gehen;
Doch was so sanft dein Mund verschweigt,
Muß deine blasse Hand gestehen.

Die Hand, an der mein Auge hängt,
Zeigt jenen feinen Zug der Schmerzen,
Und daß in schlummerloser Nacht
Sie lag auf einem kranken Herzen.

THEODOR STORM (1817–1888).

An das Vaterland

O mein Heimatland! O mein Heimatland!
Wie so innig, feurig lieb' ich dich!
Schönste Ros', ob jede mir verblich,
Duftest noch an meinem öden Strand!

Als ich arm, doch froh, fremdes Land durchstrich,
Königsglanz mit deinen Bergen maß,
Thronensplitter bald ob dir vergaß,
Wie war da der Bettler stolz auf dich!

Als ich fern dir war, o Helvetia!
Faßte manchmal mich ein tiefes Leid;
Doch wie kehrte schnell es sich in Freud',
Wenn ich einen deiner Söhne sah!

O mein Vaterland, all mein Gut und Hab!
Wann dereinst die letzte Stunde kommt,
Ob ich Schwacher dir auch nichts gefrommt,
Nicht versage mir ein stilles Grab!

Werf' ich von mir einst dies mein Staubgewand,
Beten will ich dann zu Gott dem Herrn:
„Lasse strahlen deinen schönsten Stern
Nieder auf mein irdisch Vaterland!"

GOTTFRIED KELLER (1819–1890).

Alt Heidelberg

Alt Heidelberg, du feine,
Du Stadt an Ehren reich,
Am Neckar und am Rheine
Kein' andre kommt dir gleich.

Stadt fröhlicher Gesellen,
An Weisheit schwer und Wein,
Klar ziehn des Stromes Wellen,
Blauäuglein blitzen drein.

Und kommt aus lindem Süden
Der Frühling übers Land,
So webt er dir aus Blüten
Ein schimmernd Brautgewand.

Auch mir stehst du geschrieben
Ins Herz gleich einer Braut,
Es klingt wie junges Lieben
Dein Name mir so traut.

Und stechen mich die Dornen,
Und wird mir's drauß zu kahl,
Geb' ich dem Roß die Spornen
Und reit' ins Neckartal.

VIKTOR VON SCHEFFEL (1826–1886).

Wer weiß wo

(Schlacht bei Kolin, 18. Juni 1757)*

Auf Blut und Leichen, Schutt und Qualm,
Auf roßzerstampften Sommerhalm
Die Sonne schien.
Es sank die Nacht. Die Schlacht ist aus,
Und mancher kehrte nicht nach Haus
Einst von Kolin.

Ein Junker auch, ein Knabe noch,
Der heut' das erste Pulver roch,
Er mußte dahin.
Wie hoch er auch die Fahne schwang,
Der Tod in seinen Arm ihn zwang,
Er mußte dahin.

Ihm nahe lag ein frommes Buch,
Das stets der Junker bei sich trug,
Am Degenknauf.
Ein Grenadier von Bevern fand
Den kleinen erdbeschmutzten Band
Und hob ihn auf.

Und brachte heim mit schnellem Fuß
Dem Vater diesen letzten Gruß,
Der klang nicht froh.
Dann schrieb hinein die Zitterhand:
„Kolin. Mein Sohn verscharrt im Sand.
Wer weiß wo."

* At Kolin in Bohemia the Prussians under Frederick the Great were defeated
by the Austrian army early in the Seven Years' War. Frederick was forced
to give up the siege of Prague and withdraw from Bohemia.

Und der gesungen dieses Lied,
Und der es liest, im Leben zieht
Noch frisch und froh.
Doch einst bin ich, und bist auch du,
Verscharrt im Sand, zur ewigen Ruh',
Wer weiß wo.

DETLEV VON LILIENCRON (1844–1909).

VOCABULARY

The vocabulary is intended to be complete except for obvious cognates, articles, pronouns, pronominal adjectives, numerals, days of the week, and months.

Since adjectives and adverbs usually have the same form in German, adverbial meanings are generally not given. Likewise omitted are neuter nouns formed from the infinitive of verbs when there is no change of meaning, and diminutives.

The genitive singular and the nominative plural of nouns are indicated as follows: der Mann, =es, =er = der Mann, des Mannes, die Männer; die Frau, =, =en = die Frau, der Frau, die Frauen.

The principal parts of strong and irregular verbs are given with the auxiliary in the perfect tense, and the third person singular of the present indicative when it has a vowel change or is irregular: nehmen, nahm, hat genommen, er nimmt. When the auxiliary of weak verbs is sein, it is indicated in parentheses after the infinitive: folgen (sein). Separable compound verbs have a hyphen between the prefix and the verb: ab=fahren.

The accent is indicated where it might be helpful to the student.

VOCABULARY

A

ab off, away

der Abend, =s, =e the evening; **abends** in the evening; **die Abendlandschaft, =, =en** the evening landscape; **der Abendschein, =(e)s** the evening glow

das Abenteuer, =s, = the adventure

aber but, however

ab-fahren, fuhr ab, ist abgefahren, er fährt ab to leave, depart

der Abfall, =(e)s, ⸗e the defection, secession, revolt

der Abgesandte, =n, =n the emissary, envoy

ab-holen to fetch, take away, call for

der Ablaß, =(ff)es, ⸗(ff)e the indulgence, remission of punishment, dispensation

ab-lehnen to decline

ab-nehmen, nahm ab, hat abgenommen, er nimmt ab to take off

ab-pflücken to pluck off

ab-reisen (sein) to leave, depart; **die Abreise, =, =n** the departure

ab-reißen, riß ab, hat abgerissen to tear off

der Abschied, =(e)s, =e the farewell, departure

ab-schlagen, schlug ab, hat abgeschlagen, er schlägt ab to strike off

ab-schließen, schloß ab, hat abgeschlossen to conclude; bring to a conclusion; decide upon a thing

ab-schneiden, schnitt ab, hat abgeschnitten to cut off; **der Abschnitt, =(e)s, =e** the section, period

die Absicht, =, =en the intention; **absichtlich** intentionally

ab-stammen (sein) to be descended from

ab-treten, trat ab, hat abgetreten, er tritt ab to relinquish, cede; **die Abtretung, =** the cession, surrender

ab-weichen, wich ab, ist abgewichen to depart from

sich ab-wenden, wandte sich ab, hat sich abgewandt to turn away from

die Abwesenheit, =, =en the absence

ach oh! alas!

in acht nehmen to pay attention to, be careful concerning

achten to respect

achtzehnjährig eighteen-year-old

ächzen to groan

der Acker, =s, ⸗ the field; **der Ackerbau, =s** the agriculture

der Adel, =s the nobility

adieu' good-bye

der Advokat', =en, =en the lawyer

der Ahn, =s or **=en, =en** the ancestor, forefather

ähnlich similar; **ähnlich sehen** to look like, resemble

akkordie'ren to bargain

all all, every; **alles** everything, every one; **vor allem** above all

allein' alone, however

allerdings' to be sure; yes, indeed

der Allerhei'ligentag, =(e)s, =e the All Saints' Day

allerlei' all kinds of

allerschönst' most beautiful of all, fairest of all

allgemein' general

allhier' here

allmäh'lich gradual

allzu too, far too

als as, when, than, but, as if

also so, therefore, accordingly

alt old, ancient; same; **das Alter, =s, =** the age

das **Amt**, =(e)s, ᵘer   the office, position; **amtlich**   official

sich amüsie′ren   to amuse oneself, enjoy oneself

an (+ *dat.* or *acc.*)   on, at, by, along, in, to, near

an-bieten, **bot an**, **hat angeboten**   to offer

das **Andenken**, =s, =   the remembrance, memory

ander   other, different; **anders** otherwise, different(ly); **nichts anderes** nothing else

ändern   to change; **die Änderung**, =, =en   the change

and(r)erseits   on the other hand

an-fangen, **fing an**, **hat angefangen**, **er fängt an**   to begin; **der Anfang**, =(e)s, ᵘe   the beginning; **anfangs** in the beginning

an-fassen   to catch hold of, seize

das **Angebot**, =(e)s, =e   the offer

an-gehören   to belong to

angelegen   important; **sich angelegen sein lassen**   to be interested in, make it one's business

die **Angelegenheit**, =, =en   the affair

angenehm   pleasant, agreeable

angesehen   respected, esteemed

das **Angesicht**, =(e)s, =e   the face, countenance

an-greifen, **griff an**, **hat angegriffen**   to attack; **der Angreifer**, =s, =   the attacker, aggressor, assailant

die **Angst**, =, ᵘe   the fear; **Angst haben** to be afraid; **ängstlich** anxious, uneasy

an-haben   to have on, wear

an-halten, **hielt an**, **hat angehalten**, **er hält an**   to ask for (in marriage)

an-hören   to listen to

an-kommen, **kam an**, **ist angekommen**   to arrive; **die Ankunft**, =, ᵘe   the arrival

sich an-künden   to be proclaimed

an-legen   to put on

an-nehmen, **nahm an**, **hat angenommen**, **er nimmt an**   to take up, accept, employ, assume

annektie′ren   to annex

an-schauen   to look at, stare at

an-sehen, **sah an**, **hat angesehen**, **er sieht an**   to look at, tell by looking at

an-sprechen, **sprach an**, **hat angesprochen**, **er spricht an**   to speak to

anständig   decent, respectable

anstatt (+ *gen.* or *inf. with* zu)   instead of

die **Anstellung**, =, =en   the appointment, position

antworten   to answer; **die Antwort**, =, =en   the answer

an-wenden, **wandte an**, **hat angewandt**   to apply, use

anwesend   present; **die Anwesenheit**, =, =en   the presence

die **Anzahl**, =   the (indefinite) number

an-ziehen, **zog an**, **hat angezogen**   to put on

an-zünden   to light

arbeiten   to work; **die Arbeit**, =, =en   the work

sich ärgern   to be vexed, peeved, annoyed; **ärgerlich**   angry, vexed

arm   poor; **die Armut**, =   the poverty

der **Arm**, =(e)s, =e   the arm; **der Armstuhl**, =(e)s, ᵘe   the arm-chair

die **Armee′**, =, =n   the army

der **Arrestbefehl**, =(e)s, =e   the order of arrest

die **Art**, =, =en   the kind, manner

der **Arzt**, =es, ᵘe   the doctor, physician

die **Asche**, =, =n   the ash(es), embers

das **Asyl′**, =s, =e   the asylum, refuge

atmen   to breathe; **der Atem**, =s   the breath

auch   also, too

auf (+ *dat.* or *acc.*)   on, upon, at, in, to, for; **auf und ab** to and fro; **auf ein Wort** may I have a word with you?

der **Aufenthalt**, =(e)s, =e   the sojourn, stay

auf-erlegen   to impose

auf=fangen, fing auf, hat aufgefangen er fängt auf to catch, capture, receive; intercept (*letters*)

auf=freſſen, fraß auf, hat aufgefreſſen, er frißt auf to eat up (*of animals*)

auf=führen to perform, produce; **die Aufführung, =, =en** the performance, production

die Aufgabe, =, =n the task, project

auf=geben, gab auf, hat aufgegeben, er gibt auf to give up

ſich auf=halten, hielt ſich auf, hat ſich aufgehalten, er hält ſich auf, to stay, be detained

auf=heben, hob or **hub auf, hat aufgehoben** to pick up, raise

auf=hören to stop, cease

auf=leben (ſein) to be returned to life, be cheered up

auf=löſen to dissolve; **die Auflöſung, =, =en** the dissolution

auf=machen to open; **ſich auf=machen** to start out

die Aufmerkſamkeit, =, =en the attention

auf=nehmen, nahm auf, hat aufgenommen, er nimmt auf to receive, accept, take

auf=pflanzen to plant, set up

auf=regen to excite, stir up

die Aufregung, =, =en the excitement

der Aufſatz, =es, "e the article

auf=ſetzen to put on; **ſich auf=ſetzen** to sit up

auf=ſitzen, ſaß auf, hat aufgeſeſſen to mount

auf=ſpringen, ſprang auf, iſt aufgeſprungen to jump up

auf=ſtampfen to stamp

auf=ſtehen, ſtand auf, iſt aufgeſtanden to get up

auf=ſtellen to set up, propose, advance

auf=treten, trat auf, iſt aufgetreten, er tritt auf to appear publicly

auf=wachen (ſein) to wake up, awake

auf=wachſen, wuchs auf, iſt aufgewachſen, er wächſt auf to grow up

das Auge, =s, =n the eye

der Augenblick, =(e)s, =e the moment

das Auguſti'nerkloſter, =s the Augustinian monastery

aus (+ dat.) out, out of, of, from; over

aus=brechen, brach aus, iſt ausgebrochen, er bricht aus to break out

der Ausdruck, =(e)s, "e the expression, remark; **ausdrücklich** express

aus=führen to execute, carry out

aus=füllen to fill, take up

aus=gehen, ging aus, iſt ausgegangen to go out; **der Ausgang, =(e)s, "e** the exit

ausgezeich'net excellent

die Auskunft, =, "e the information

der Auskunftgeber, =s, = the informer

das Ausland, =s the foreign powers; **ausländiſch** foreign

aus=machen to put out, extinguish

die Ausnahme, =, =n the exception

aus=reißen, riß aus, hat ausgeriſſen to tear out, pull out

aus=reiten, ritt aus, iſt ausgeritten to ride out

aus=rufen, rief aus, hat ausgerufen to call out, exclaim

ſich aus=ruhen to rest

aus=ſchreiben, ſchrieb aus, hat ausgeſchrieben to write out

aus=ſehen, ſah aus, hat ausgeſehen, er ſieht aus to look, appear

außen out, outside

außer (+ dat.) outside of, except, besides; **außerdem** besides

äußer outer; **äußerſt** extremely; **äußerlich** outward

außerordentlich extraordinary

die Ausſicht, =, =en the outlook, prospect; **ausſichtslos** hopeless

aus=ſprechen, ſprach aus, hat ausgeſprochen, er ſpricht aus to express, utter, pronounce

aus=ſuchen to pick out, select

aus=teilen to deal out, distribute, bestow upon

aus=trinken, trank aus, hat ausgetrunken to drain, empty

aus=üben to practice

aus=wandern (sein) to emigrate

auswärtig foreign

aus=werfen, warf aus, hat ausgeworfen, er wirft aus to set apart, place at one's disposal

aus=ziehen, zog aus, hat ausgezogen to take off, undress; (sein) to march out, set forth, take the field; move out

B

der Bach, =(e)s, ⸗e the brook

der Bäcker, =s, = the baker

bahnen to make, prepare (path)

der Bahnhof, =(e)s, ⸗e the railway station

bald soon; bald . . . bald now . . . now

der Balken, =s, = the beam

der Ball, =(e)s, ⸗e the ball

der Band, =(e)s, ⸗e the volume

das Band, =(e)s, ⸗er the ribbon

bang anxious, afraid

die Bank, =, ⸗e the bench

die Bank, =, ⸗en the bank; der Bankier', =s, =s the banker; der Bank(e)rott', =(e)s, =e the bankruptcy

der Bär, ⸗en, ⸗en the bear

der Bart, =(e)s, ⸗e the beard

bauen to build

der Bauer, =s or ⸗n, ⸗n the peasant; der Bauernhof, =(e)s, ⸗e the farm

der Baum, =(e)s, ⸗e the tree

(das) Bayern, =s Bavaria; bayrisch Bavarian

beabsichtigen to intend, plan

der Beamte, ⸗n, ⸗n the official

beben to quake, quiver, thrill

der Becher, =s, = the beaker, cup

bedauern to pity

bedecken to cover

bedeuten to signify, mean; bedeutend significant, outstanding, great; die Bedeutung, =, ⸗en the significance; bedeutungsvoll significant

die Bedienung, = the service, servants

die Bedingung, =, ⸗en the condition

beenden to end, complete, finish; beendigen to end, complete, finish

befehlen, befahl, hat befohlen, er befiehlt to command, order; der Befehl, =(e)s, ⸗e the command, order; zu Befehl! yes, sir!

befestigen to fasten

sich befinden, befand sich, hat sich befunden to be, feel

befolgen to follow

befreien to free, liberate, discharge

befreundet friendly, on friendly terms

befriedigen to satisfy

befürchten to fear

begabt gifted, talented

begegnen (sein) to meet; die Begegnung, =, ⸗en the meeting

beginnen, begann, hat begonnen to begin, start; der Beginn, =(e)s the beginning

begleiten to accompany; der Begleiter, =s, = the companion, escort; die Begleitung, = the escort, company

beglücken to make happy

begraben, begrub, hat begraben, er begräbt to bury

der Begründer, =s, = the founder

begrüßen to greet

behalten, behielt, hat behalten, er behält to keep

behandeln to treat

behaupten to maintain, assert; sich behaupten to hold one's ground

bei (+ dat.) by, at, near, with, at the house of

bei=behalten, behielt bei, hat beibehalten, er behält bei to retain

beide both, the two

das Bein, =(e)s, ⸗e the leg

beinahe almost, nearly

beiseite=nehmen, nahm beiseite, hat beiseitegenommen, er nimmt beiseite to take aside

das Beispiel, =(e)s, =e the example; zum Beispiel (z.B.) for example

beißen, biß, hat gebissen to bite

bekannt known, noted; bekanntlich as is well known; die Bekanntschaft, =, =en the acquaintance

bekennen, bekannte, hat bekannt to confess; das Bekenntnis, =(ff)es, =(ff)e the confession

beklagen to bewail, complain about

bekommen, bekam, hat bekommen to receive, get

beliebt popular

bellen to bark

belohnen to reward

bemerken to remark, observe, notice, note; die Bemerkung, =, =en the remark

benachbart neighboring

sich benehmen, benahm sich, hat sich benommen, er benimmt sich to behave, act; das Benehmen, =s the behavior, good manners

benutzen to use, make use of

beo'bachten to observe; die Beobachtung, =, =en the observation

bequem comfortable

bereit ready; bereiten to make ready, prepare; bereits already

der Berg, =(e)s, =e the hill, mountain; das Berglied, =(e)s, =er the mountain song; der Bergmann, =(e)s, Bergleute the miner

bergen, barg, hat geborgen, er birgt to hide, shelter

berichten to report, inform; der Bericht, =(e)s, =e the report

berufen, berief, hat berufen to call; der Beruf, =(e)s, =e the calling, profession

beruhen to rest upon, be based on

beruhigen to quiet, calm

berühmt famous

die Berührung, =, =en the touch, contact

beschäftigen to occupy; die Beschäftigung, =, =en the occupation

beschenken to make a present to; beschenkt with a gift

beschließen, beschloß, hat beschlossen to decide, conclude, end

beschreiben, beschrieb, hat beschrieben to describe

beschützen to protect

beseitigen to remove

beseligen to bless; beseligend full of blessings

besetzen to occupy

besiegen to overcome, conquer, defeat

besitzen, besaß, hat besessen to possess; der Besitz, =es the possession, property, treasure, amount, proceeds; der Besitzer the owner

besonder special; besonders especially

besorgt worried, concerned

besser better; bessern to better, improve

bestehen, bestand, hat bestanden auf (+ acc.) to insist on

besteigen, bestieg, hat bestiegen to climb, mount

bestellen to order; die Bestellung, =, =en the order

bestimmen to determine; bestimmt definite(ly), positive(ly)

bestrafen to punish

besuchen to visit; der Besuch, =(e)s, =e the visit; der Besucher, =s, = the visitor

beten to pray

betrachten to look at, regard

betreffen, betraf, hat betroffen, es betrifft to concern

betreten, betrat, hat betreten, er betritt to enter

betrügen, betrog, hat betrogen to deceive, cheat

beurteilen to judge

das Bett, =(e)s, =en the bed

betteln (um) to beg (for); der Bettler, =s, = the beggar; das Bettelkind, =(e)s, =er the beggar-child der **Beutel,** =s, = the bag, purse

die **Bevölkerung,** =, =en the population

bewachen to watch, guard

bewegen to move; die **Bewegung,** =, =en the movement, motion

beweisen, bewies, hat bewiesen to prove; der **Beweis,** =(f)es, =(f)e the proof

bewilligen to grant, vote; die **Bewilligung,** =, =en the grant, sanction

bewohnt occupied

bewundern to admire; der **Bewunderer,** =s, = the admirer; die **Bewunderung,** = the admiration

bewußtlos unconscious; die **Bewußtlosigkeit,** = the unconsciousness

bezahlen to pay

bezaubern to enchant, charm

bezeichnen to designate

bezeugen to attest, certify

die **Bibel,** =, =u the Bible; die **Bibelwissenschaft,** = the science of the Bible, theology

die **Bibliothek',** =, =en the library; der **Bibliothekar',** =s, =e the librarian

biegen, bog, ist gebogen to turn; hat gebogen to bend

das **Bier,** =(e)s, =e the beer

bieten, bot, hat geboten to offer

das **Bild,** =(e)s, =er the picture; die **Bildhauerei',** = the sculpture; das **Bildnis,** =(ff)es, =(ff)e the picture, portrait

bilden to form, shape, constitute

das **Billet',** =(e)s, =e the ticket

billig cheap, fair; die **Billigkeit,** = the fairness, reasonableness

binden, band, hat gebunden to bind, tie

bis (+ acc.) to, as far as, until; bis auf with the exception of

das **bißchen** the little bit; ein bißchen a moment, a little while

bitten, bat, hat gebeten to ask, request, plead; die **Bitte,** =, =n the request, petition

bitter bitter

blank shining, polished, clean

blasen, blies, hat geblasen, er bläst to blow; die **Blase,** =, =n the bladder

blaß pale

das **Blatt,** =(e)s, "er the leaf, sheet

blau blue; das **Blauäuglein,** =s, = the little blue eye

bleiben, blieb, ist geblieben to remain, stay

bleich pale

der **Bleistift,** =(e)s, =e the lead-pencil

blicken to look, glance; der **Blick,** =(e)s, =e the look, glance

blitzen to lighten, flash, shine; der **Blitz,** =es, =e the lightning, flash

bloß only, merely

blühen to bloom

die **Blume,** =, =n the flower

das **Blut,** =(e)s the blood; blutig bloody

die **Blüte,** =, =n the blossom

der **Boden,** =s, " or = the floor, ground; zu Boden schlagen to strike down

der **Bogen,** =s, = the bow; der **Bogenschütze,** =n, =n the archer, bowman

(das) **Böhmen,** =s Bohemia

die **Bohne,** =, =n the bean

borgen to borrow

böse bad, angry, evil

boshaft malicious

der **Bote,** =n, =n the messenger

braten, briet, hat gebraten, er brät to fry, roast

brauchen to need, use

(das) **Braunschweig,** =s Brunswick

brausen to roar, murmur

die **Braut,** =, "e the bride, fiancée; das **Brautgewand,** =(e)s, "er the bridal gown

brav good, well-behaved

brechen, brach, hat gebrochen, er bricht to break

brennen, brannte, hat gebrannt to burn

der Brief, =(e)§, =e the letter; der
Briefwechsel, =§, = the corre-
spondence

die Brille, =, =n the glasses, spec-
tacles

bringen, brachte, hat gebracht to
bring, put

das Brot, =(e)§, =e the bread

der Bruder, =§, ᐢ the brother

der Brunnen, =§, = the well, spring

die Bruſt, =, ᐢe the breast, chest

das Buch, =(e)§, ᐢer the book; der
Buchhändler, =§, = the book-
dealer

der Buchſtabe, =n, =n the letter (of
the alphabet)

die Bühne, =, =n the stage

der Bund, =(e)§, ᐢe the confederation; der Bundeskanzler, =§, = the
chancellor of the confederation;
der Bundestag, =(e)§, ᐢe the fed-
eral diet, Diet of the German
Confederation

das Bündnis, =(ſſ)e§, =(ſſ)e the
league, alliance

bunt of various colors, motley

die Burg, =, =en the castle

bürgen to go bail

der Bürger, =§, = the citizen; bür=
gerlich bourgeois, middle-class

das Büro', =§, =§ the office; der
Bürodiener, =§, = the office at-
tendant

das Bürokra'tenleben, =§ the bu-
reaucratic life

der Burſche, =n, =n the fellow, or-
derly

der Buſen, =§, = the bosom

D

d.h. = das heißt i.e., that is

da there, then, as, since, when

dabei while doing that

das Dach, =(e)§, ᐢer the roof

dadurch through that, thereby

dafür for that

dage'gen against it, opposed; on
the other hand

daheim' at home

daher therefore; from there, from
that; along

dahin thither, there; bis dahin up
to that time; er mußte dahin he
had to go or die

dahin'ter behind that

damals at that time; damalig
then being, of that time

die Dame, =, =n the lady

damit therewith, with that, in order that

danach after that

danken to thank; der Dank, =(e)§
the thanks; dankbar thankful,
grateful

dann then

daran at it

darauf thereupon; daraufhin' on
the strength of that

daraus out of that

darin therein, in that

darnach after that

dar=reichen to present, proffer

dar=ſtellen to represent

darü'ber about that

darum therefore; about it

darun'ter under that, among them

daß that

das Datum, =§, =en the date

dauern to last

der Daumen, =§, = the thumb

davon of that, thereof

dazu to that, in addition

der Deckel, =§, = the cover, lid

decken to cover; den Tiſch decken to
set the table

der Degen, =§, = the sword; der De=
genknauf, =§, ᐢe the pommel of
the sword's hilt

denken, dachte, hat gedacht to think;
der Denker, =§, = the thinker

denn for; often not translated (especially in questions)

dennoch nevertheless

dereinſt' some day, in days to come

derjenige, diejenige, dasjenige that
one

derſelbe, dieſelbe, dasſelbe the same

deshalb therefore

desto the, so much the; **je . . . . desto** the . . . the

deswegen on that account, for that reason, therefore

deutlich distinct, clear

deutsch German; (**das**) **Deutschland, =s** Germany

dichten to write poetry, compose; **der Dichter, =s, =** the poet; **dichterisch** poetic; **die Dichtkunst, =** the art of poetry; **die Dichtung, =, =en** the literature, piece of literature

didaktisch didactic

der Dieb, =(e)s, =e the thief; **der Diebstahl, =(e)s, ⸗e** the theft, robbery

dienen to serve; **der Diener, =s, =** the servant; **die Dienerin, =, =nen** the servant (*fem.*); **der Dienst, =es, =e** the service

dieser, diese, dieses *or* **dies** this, the latter; **diesmal** this time

diktie′ren to dictate, impose

das Ding, =(e)s, =e the thing

dirigie′ren to direct, lead

dispensie′ren to release, excuse

disputie′ren to dispute, debate

doch after all, surely, yet, still

der Doktor, =s, =en the doctor

der Dom, =(e)s, =e the cathedral

der Donner, =s, = the thunder

doppelt double, twice; **die Doppelheirat, =, =en** the double marriage

das Dorf, =(e)s, ⸗er the village

der Dorn, =(e)s, =en the thorn

dort there; **dorthin** there, to that place

der Drache, =n, =n the dragon

die Drama′tik, = the dramatic literature

der Dramaturg′, =en, =en the dramaturgist (*one who reads plays and prepares them for production*); **die Dramaturgie′, =** the dramatic theory, dramaturgy

drauß, draußen outside

drehen to turn

drein=blitzen to flash, shine into

dreißigjährig thirty-year-old

dreizehnjährig thirteen-year-old

dringen, drang, ist gedrungen to penetrate, come

drucken to print; **die Druckkosten** (*pl.*) the cost of printing

drücken to press; **sich die Hände drücken** to shake hands

duften to be fragrant, spread fragrance

dulden to tolerate

dumm stupid; **die Dummheit, =, =en** the stupidity

dumpf musty, stifling; dull

dunkel dark; vaguely; **die Dunkelheit, =, =en** the darkness; **das Dunkelwerden, =s** the getting dark, dark

durch (+ *acc.*) through, by, by means of; **durchaus′** throughout, entirely, absolutely

durch=führen to carry out; **die Durchführung, =, =en** the carrying through, execution

durchschnei′den, durchschnitt, hat durchschnitten to cut through, sever

durch=setzen to carry out

durchstrei′chen, durchstrich, hat durchstrichen to ramble, roam through

durchsu′chen to search

dürfen, durfte, hat gedurft *or* **dürfen** to be permitted, be allowed, may

dürr withered, dry

düster dark, gloomy

das Dutzend, =s, =e the dozen; **dutzendmal** dozen times

E

eben even, smooth, flat, just, just now, just then; **ebenfalls** likewise; **ebenso** just as, equally; **ebensogut** just as good, just as well; **ebensosehr** just as much

die Ecke, =, =n the corner

edel noble; **der Edelmann, =(e)s, Edelleute** the nobleman

ehe before; **eher** sooner, rather, more easily

die Ehe, =, =n the marriage, matrimony, wedlock; **das Ehepaar,** =(e)s, =e the married couple

ehren to honor; **die Ehre,** =, =n the honor; **zu Ehren** in honor of; **das Ehrenkreuz,** =es, =e the cross of honor, medal; **ehrlich** honest, honorable; **ehrlos** dishonorable

das Ei, =(e)s, =er the egg

ei! oh! indeed! **ei was!** oh, nonsense!

die Eiche, =, =n the oak; **der Eichenbaum,** =(e)s, =e the oak tree

der Eifer, =s the zeal, fervor; **eifrig** zealous, busy, industrious

eigen own; **eigensinnig** stubborn, obstinate; **eigenartig** peculiar; **das Eigentum,** =(e)s, =er the property, possession; **der Eigentümer,** =s, = the owner

eigentlich really, in reality

eilen (sein) to hurry, hasten; **eilig** hastily

ein (as prefix) to sleep; **ein=singen,** etc. to sing to sleep

einan'der one another

der Eindruck, =(e)s, =e the impression

einerseits on the one hand

einfach simple, plain

ein=fallen, fiel ein, ist eingefallen, es (er) fällt ein to occur, think of; invade

der Einfluß, =(ff)es, =(ff)e the influence; **einflußreich** influential

ein=führen to conduct into, introduce

eingeboren native, innate

ein=gehen, ging ein, ist eingegangen to agree, join in, go in; **der Eingang,** =(e)s, =e the entrance

einheitlich uniform, unified, unitary; **die Einheitlichkeit,** = the uniformity

ein=holen to overtake

einig united; agreed

einige several, some, a few

einigen to unite; **sich einigen** to agree; **die Einigung,** = the unification

das Einkommen, =s, = the income

ein=laden, lud ein, hat eingeladen, er ladet or **lädt ein** to invite; **die Einladung,** =, =en the invitation

ein=legen to put in

einmal once; just; some day; for once; **noch einmal** once more

ein=nehmen, nahm ein, hat eingenommen, er nimmt ein to take in

einsam lonely, deserted

ein=scharren to bury (of animals); bury without ceremony

ein=schlafen, schlief ein, ist eingeschlafen, er schläft ein to fall asleep

ein=schlagen (auf), schlug ein, hat eingeschlagen, er schlägt ein to strike away (at)

sich ein=schließen, schloß sich ein, hat sich eingeschlossen to lock oneself in

ein=sehen, sah ein, hat eingesehen, er sieht ein to realize

einst, einstmals some time, once upon a time

ein=tragen, trug ein, hat eingetragen, er trägt ein to bring in

ein=treten, trat ein, ist eingetreten, er tritt ein to step in; (aux. haben) to kick open; **der Eintritt,** =(e)s, =e the entrance

einundfünfzigjährig fifty-one-year-old

ein=verleiben to incorporate

das Einverständnis, =(ff)es, =(ff)e the understanding, agreement

die Einwilligung, =, =en the consent, assent

einzeln separate, single

einzig sole, only

das Eisen, =s, = the iron; **eisern** of iron, iron

elend wretched, miserable

(das) Elsaß, = or =(ff)es Alsace

die Eltern (pl.) the parents

empfangen, empfing, hat empfangen, er empfängt to receive

empfehlen, empfahl, hat empfohlen, er empfiehlt to recommend; **die Empfehlung, =, =en** the recommendation

empfinden, empfand, hat empfunden to feel, experience, sense; **empfindlich** sensitive

empor'=fliegen, flog empor, ist empor=geflogen to fly up

enden to end, finish; **das Ende, =s, =n** the end; **zu Ende** finished; **endgültig** finally, definite; **endlich** finally; **endlos** endless

ener'gisch energetic

eng narrow, close

der Enkel, =s, = the grandson

entdecken to discover; **die Entdeckung, =, =en** the discovery

entfernen to remove; **sich entfernen** to withdraw; **entfernt** distant; **die Entfernung, =, =en** the distance

entflammen inflame, kindle; (*aux.* sein) be inflamed

entgegen (preceded by *dat.*) towards; **entgegen=treten, trat entgegen, ist entgegengetreten, er tritt entgegen** to walk towards, come to meet, confront

entgehen, entging, ist entgangen to escape

enthüllen to reveal

entlang (preceded by *acc.* or by **an** + *dat.*) along

entlassen, entließ, hat entlassen, er entläßt to dismiss, discharge; **die Entlassung, =, =en** the discharge, release; **der Entlassungsbrief, =(e)s, =e** the discharge-paper

entlehnen to borrow, take from

entreißen, entriß, hat entrissen to snatch away

die Entrüstung, =, =en the indignation

entscheiden, entschied, hat entschieden to decide; **die Entscheidung, =, =en** the decision; **entschieden** decided, positive

sich entschließen, entschloß sich, hat sich entschlossen to decide, resolve, make up one's mind

entschuldigen to excuse, pardon; **die Entschuldigung, =, =en** the excuse, apology

entsetzlich terrible

entstehen, entstand, ist entstanden to originate, arise, come into existence

enttäuscht disappointed

entweder either

entwickeln to develop

entzwei=springen, sprang entzwei, ist entzweigesprungen to break in two, burst

episch epic

der Erbe, =n, =n the heir

erbitten, erbat, hat erbeten to ask for, request

erbittern to embitter

erblicken to catch sight of, behold, see

der Erbprinz, =en, =en the hereditary prince, heir to the throne

die Erbse, =, =n the pea

erdbeschmutzt dirty with earth, earth-soiled

die Erde, =, =n the earth, ground, floor

erdrücken to stifle, crush

erfahren, erfuhr, hat erfahren, er erfährt to learn, find out, experience; **die Erfahrung, =, =en** the experience

erfolgen (sein) to follow, ensue, result; **der Erfolg, =(e)s, =e** the success; **erfolgreich** successful

erfreuen to give joy, please

erfrischen to refresh

erfüllen to fulfill; **die Erfüllung, =, =en** the fulfillment

ergeben addicted to

das Ergebnis, =(ss)es, =(ss)e the result

erhalten, erhielt, hat erhalten, er erhält to receive

erheben, erhob, hat erhoben to raise, elevate; **sich erheben** to rise, get up

sich erholen to recover

sich erinnern to remember, recollect

fid) **erfälten** to catch cold

erfennen, erfannte, hat erfannt to recognize; **die Erfenntnis, =, =(ff)e** the knowledge, perception

erflären to declare, explain

die Erfranfung, =, =en the illness

erlaffen, erließ, hat erlaffen, er erläßt to enact

die Erlaffung, =, =en the remission

erlauben to allow, permit; **die Erlaubnis, =, =(ff)e** the permission

erleben to live to see, experience; **das Erlebnis, =(ff)es, =(ff)e** the experience

erleichtern to lighten, relieve

erlernen to learn, study

erlefen, erlas, hat erlefen, er erlieft to choose, select

erleuchten to illuminate

der Erlfönig, =8, =e the elf-king, erl-king

ermöglichen to make possible

ernennen, ernannte, hat ernannt to appoint, create

erneue(r)n to renew, restore, revive, regenerate

ernft earnest, serious; **der Ernft, =e8** the earnestness, seriousness; **ernftlich** seriously

erreichen to reach, attain

erröten (fein) to become red, blush

erfchallen to resound, ring out

erfcheinen, erfchien, ift erfchienen to appear

erfchreden, erfchraf, ift erfchroden, er erfchridt to become frightened, startled

erfchüttern to shake vehemently, affect deeply

erft first, foremost, early, only, not until; **erftens** firstly, in the first place; **zum erftenmal** for the first time

das Erftaunen, =8 the astonishment; **erftaunt** astonished; **erftaunlich** astonishing

erträufen to drown

ertreten, ertrat, hat ertreten, er ertritt to tread underfoot

ertrinfen, ertranf, ift ertrunfen to drown

erwachen (fein) to awaken, wake up

erwähnen to mention

erwarten to await, expect

erweden to awaken

erwerben, erwarb, hat erworben, er erwirbt to gain, obtain, acquire

erwidern to reply, answer; requite, repay

erzählen to tell, narrate; **die Erzählung, =, =en** the story, narration

erzeugen to beget, produce

erziehen, erzog, hat erzogen to raise, bring up, educate; **die Erziehung, =, =en** the bringing up, education

der Efel, =8, = the ass, donkey

effen, aß, hat gegeffen, er ißt to eat; **das Effen, =8, =** the food

etwa nearly, about, perhaps, perchance

etwas some, something

ewig eternal

F

die Fabel, =, =n the fable

die Fabrif', =, =en the factory

das Fach, =(e)8, =er the subject, special branch

die Fahne, =, =n the banner, flag

fahren, fuhr, ift gefahren, er fährt to ride, travel, pass; **die Fahrfarte, =, =n** the ticket

der Fall, =(e)8, =e the case; **falls** in case; **auf alle Fälle** at all events

die Falle, =, =n the trap

fallen, fiel, ift gefallen, er fällt to fall

fällen to fell

falfch false, wrong; treacherous

die Fami'lie, =, =n the family; **das Familienleben, =8** the family life; **der Familienroman, =8, =e** the middle-class novel

famos' capital, splendid, excellent

fangen, fing, hat gefangen, er fängt to catch, capture

die Farbe, =, =n the color, paint;
die Farbenlehre, =, =n the theory
of color

fassen to grasp, seize

fast almost, nearly

das Fastnacht(s)spiel, =s, =e the
shrovetide play

faul lazy

die Faust, =, "e the fist

fechten, focht, hat gefochten, er ficht
to fight, fence

die Feder, =, =n the feather, pen

fehlen to lack, be absent; der Feh=
ler, =s, = the error, mistake

feiern to celebrate; der Feiertag,
=(e)s, =e the holiday

fein fine, delicate

der Feind, =(e)s, =e the enemy

das Feld, =(e)s, =er the field

der Feldwebel, =s, = the sergeant-
major

der Fels, =(f)en, =(f)en or der Felsen,
=s, = the cliff, rock; die Felsen=
höhle, =, =n the cave; das Fels=
stück, =(e)s, =e the rock; die Fel=
senwohnung, =, =en the dwelling
in the cave

das Fenster, =s, = the window

die Fe'rien (pl.) the vacation

fern far, distant; die Ferne, =, =n
the distance; ferner furthermore

fertig finished, ready; fertig werden
to manage, deal with

fesseln to fetter; attract, captivate

fest fast, firm; festgesetzt fixed, ap-
pointed

das Fest, =(e)s, =e the festival, cele-
bration; das Festspielhaus, =es
the festival theatre; der Festtag,
=(e)s, =e the holiday

die Festung, =, =en the fortress; der
Festungsbau, =(e)s the fortifica-
tion

das Feuer, =s, = the fire; feuerrot
fiery red; feurig fiery; der Feuer=
strom, =(e)s, "e the stream of fire

finden, fand, hat gefunden to find

der Finger, =s, = the finger

finster dark, gloomy, angry

fischen to fish; der Fischer, =s, = the
fisherman

die Flasche, =, =n the flask, bottle

das Fleisch, =es the meat

fleißig diligent, industrious; der
Fleiß, =es the diligence, industry

fliegen, flog, ist geflogen to fly, pass

fliehen, floh, ist geflohen to flee

fließen, floß, ist geflossen to flow

die Flinte, =, =n the musket, gun

fluchen to curse

die Flucht, =, =en the flight; der
Fluchtplan, =(e)s, "e the plan of
flight

der Flügel, =s, = the wing; das Flü=
gelpaar, =(e)s, =e the pair of
wings

die Flur, =, =en the field, plain

der Fluß, =(ff)es, "(ff)e the river

folgen (sein) to follow

fordern to demand

fördern to further, advance, help

formen to form, shape

fort away, gone

fort=dauern to continue

fort=fahren, fuhr fort, hat fortgefah=
ren, er fährt fort to continue

fort=gehen, ging fort, ist fortgegangen
to go away

fort=laufen, lief fort, ist fortgelaufen,
er läuft fort to run away

fort=reiten, ritt fort, ist fortgeritten
to ride away

fort=schicken to send away

fort=setzen to continue

fort=tragen, trug fort, hat fortgetra=
gen, er trägt fort to carry away

fragen to question, ask; die Frage,
=, =n the question; fragwürdig
questionable

(das) Frankreich, =s France

der Franzo'se, =n, =n the French-
man; franzö'sisch French

die Frau, =, =en the woman; die
Frauenhand, =, "e the woman's
hand; das Frauenzimmer, =s, = the
woman (now derogatory)

das Fräulein, =s, = the young lady,
Miss

die Frechheit, =, =en the insolence, impertinence

frei free, open; die Freiheit, =, =en the freedom, liberty

frei-lassen, ließ frei, hat freigelassen, er läßt frei to set free

freilich to be sure, of course

freiwillig voluntary

fremd strange, foreign; der Fremde, =n, =n the stranger; die Fremde, = the foreign land; der Fremdling the stranger

fressen, fraß, hat gefressen, er frißt to eat (of animals)

sich freuen to be pleased, rejoice, enjoy; die Freude, =, =n the joy; freudig joyful

der Freund, =(e)s, =e the friend; die Freundin, =, =nen the friend (fem.); die Freundschaft, =, =en the friendship; freundlich friendly

der Friede(n), =(n)s the peace; friedlich peaceful

frisch fresh, new

froh glad, happy; fröhlich happy, jolly

fromm pious, reverent, godly

frommen to be useful, avail, profit

die Frucht, =, =e the fruit; fruchtbar fruitful, productive

früh early; das Frühjahr, =s, =e the spring; der Frühling, =s, =e the spring

fühlen to feel, touch; die Fühlung, =, =en the feeling, touch, contact

führen to lead, conduct, wield, bring

füllen to fill; die Fülle, = the fullness, abundance

fünfjährig five-year-old

fünfmonatlich of five months

fünfzehnjährig fifteen-year-old

für (+ acc.) for

fürchten to fear; sich fürchten to be afraid; die Furcht, = the fear; furchtbar fearful, terrible; furchtsam fearful, timid

der Fürst, =en, =en the prince; die Fürstenschule, =, =n the Prince's

School (founded by the Electoral Prince Moritz of Saxony in the 16th century)

der Fuß, =es, =e the foot

das Futter, =s, = the food, fodder, feed

G

die Gabe, =, =n the gift

die Gans, =, =e the goose

ganz whole, entire; gänzlich entirely

gar very, quite, at all; gar nicht not at all

der Garten, =s, = the garden

der Gast, =(e)s, =e the guest

der Gastwirt, =(e)s, =e the innkeeper

die Gattin, =, =nen the wife, spouse

geben, gab, hat gegeben, er gibt to give; es gibt there is, there are

gebildet educated

das Gebirge, =s, = the mountain range

geboren born

gebrauchen to use, make use of; der Gebrauch, =(e)s, =e the use

gebückt bowed, bent, drooping

die Geburt, =, =en the birth; der Geburtstag, =(e)s, =e the birthday

gedämpft subdued, low

der Gedanke, =ns, =n the thought, idea

gedenken, gedachte, hat gedacht to think of

das Gedicht, =(e)s, =e the poem

das Gedränge, =s the crowd

die Gefahr, =, =en the danger; gefährlich dangerous

gefallen, gefiel, hat gefallen, es gefällt to please, like

gefangen-nehmen, nahm gefangen, hat gefangengenommen, er nimmt gefangen to take prisoner; der Gefangene, =n, =n the prisoner; das Gefängnis, =(ss)es, =(ss)e the prison

das Gefühl, =(e)s, =e the feeling

gegen (+ acc.) against, toward, compared with, about

die Gegend, =, =en the region, district

der Gegensatz, =es, ⸗e the contrast, opposition, antithesis

der Gegenstand, =(e)s, ⸗e the object

das Gegenteil, =(e)s, =e the opposite; im Gegenteil on the contrary

gegenüber (+ dat. or preceded by dat.) opposite, towards

die Gegenwart, = the present time

der Gegner, =s, = the opponent

das Gehalt, =(e)s, =e or ⸗er the salary

geheim secret; im geheimen secretly; das Geheimnis, =(ff)es, =(ff)e the secret

gehen, ging, ist gegangen to go

das Gehirn, =(e)s, =e the brain

das Gehör, =(e)s the hearing

gehorchen to obey

gehören to belong to, be one of

der Geist, =(e)s, =er the spirit, soul, mind, intellect; geistig spiritual

das Geld, =(e)s, =er the money

die Gelegenheit, =, =en the opportunity, occasion

gelehrt learned; der Gelehrte, =n, =n the scholar

gelingen, gelang, ist gelungen to succeed

gelten, galt, hat gegolten, er gilt to be considered

gemein common, vulgar

gemeinsam common, joint

das Gemüse, =s, = the vegetable

gemütlich comfortable, cheerful, agreeable

genau exact

der General', =s, =e the general; der General'superintendent', =en, =en the superintendent general

genießen, genoß, hat genossen to enjoy, have the benefit of; genußreich enjoyable

genug enough, sufficient; genügen to be enough, suffice

gerade straight, just; geradezu directly, actually, downright

das Gericht, =(e)s, =e the court

gering small, slight

gern(e) gladly

gesamt whole, entire

der Gesandte, =n, =n the envoy, minister, ambassador, emissary

der Gesang, =(e)s, ⸗e the singing, song

das Geschäft, =(e)s, =e the business, place of business; geschäftlich relating to business, commercial; der Geschäftsmann, =es, ⸗er or Geschäftsleute the business man

geschehen, geschah, ist geschehen, es geschieht to happen

das Geschenk, =(e)s, =e the present, gift

die Geschichte, =, =n the story, history; der Geschichtschreiber, =s, = the historian

geschickt dexterous, supple, graceful

das Geschrei, =(e)s the screams, cries, screeching

geschwind quick, swift

die Geschwister (pl.) brothers, sisters, brother(s) and sister(s)

gesellig social, sociable

die Gesellschaft, =, =en the company, society; gesellschaftlich social

das Gesetz, =es, =e the law

das Gesicht, =(e)s, =er the face

gesinnt minded, disposed

das Gespenst, =es, =er the ghost

die Gestalt, =, =en the form, figure

gestatten to allow, permit

gestehen, gestand, hat gestanden to admit, confess

gestern yesterday

gesund well, healthy; die Gesundheit, =, =en the health

das Getöse, =s the deafening noise, din

das Getrabe, =s the trotting

gewaffnet armed

gewähren to grant

die Gewalt, =, =en the force, might, power; gewaltig mighty, powerful

das Gewand, =(e)s, ⸗er the garment, robe

gewinnen, gewann, hat gewonnen to win; der Gewinn, -(e)s, -e the gain, profit

gewiß certain, sure

das Gewitter, -s, - the thunderstorm

gewöhnlich usual, customary, ordinary, commonplace, inferior

gießen, goß, hat gegossen to pour

glänzen to shine, glitter, gleam, sparkle

das Glas, -es, "-er the glass

glauben to believe; der Glaube, -ns the belief, faith

gleich like, same, at once, immediately; although; gleichen to be like, resemble; gleich-kommen, kam gleich, ist gleichgekommen to come up to, be the equal of; gleichzeitig at the same time, simultaneous

das Glied, -(e)s, -er the limb, joint, file, rank

die Glocke, -, -n the bell

das Glück, -(e)s the luck, good fortune; zum Glück fortunately; glücklich happy; glücklicherweise fortunately

glühen to glow

das Gold, -(e)s the gold; golden golden, of gold; der Goldhunger, -s the hunger for gold, avarice; der Goldschmied, -(e)s, -e the goldsmith

der Gott, -es, "-er God; der Gotteshimmel, -s God's own heaven

die Gouvernan'te, -, -n the governess

graben, grub, hat gegraben, er gräbt to dig; das Grab, -(e)s, "-er the grave

grad = gerade

der Grad, -(e)s, -e the degree

der Graf, -en, -en the count

die Gramma'tik, -, -en the grammar

grau gray

grausam cruel

grausen (*impersonal*) to shudder, be horror-stricken

greifen, griff, hat gegriffen to grasp, seize, reach for

der Greis, -(f)es *or* -(f)en, -(f)e *or* -(f)en the aged man

die Grenze, -, -n the border, boundary

der Grieche, -n, -n the Greek; griechisch Greek

grob rude, crude, impolite

der Groschen, -, - small coin (ten pfennigs, about 2½ cents)

groß large, big, tall; die Größe, -, -n the size; die Großmutter, -, "- the grandmother; der Großvater, -s, "- the grandfather

grün green; grünen to become green; grow, flourish

der Grund, -(e)s, "-e the ground, bottom, basis, reason; bis auf den Grund completely; bis in den Grund to the foundations, very deeply; im Grunde at bottom, after all, really; gründen to found, establish; gründlich thoroughly

die Grundlage, -, -n the foundation, basis

die Gruppe, -, -n the group

grüßen to greet; der Gruß, -es, "-e the greeting

der Gulden, -, - the gulden, florin (*coin no longer in use*)

gülden golden

günstig favorable

gürten to gird, girdle; (sich) make oneself ready

gut good, kind; all right; gutmütig good-natured; die Güte, - the kindness

das Gut, -(e)s, "-er the estate

H

das Haar, -(e)s, -e the hair

haben, hatte, hat gehabt, er hat to have; die Habe, - the possessions; mein Hab' und Gut all I possess

der Hahn, -(e)s, "-e the rooster

halb half; halbieren to cut in halves, bisect

die Hälfte, -, -n the half

die Halle, -, -n the hall

der Hals, -es, ⸚e the neck; hals=
starrig stiffnecked, obstinate

halten, hielt, hat gehalten, er hält to
hold, keep, subscribe to (newspaper), take for, consider; halt!
halt! es hielt ihn nicht lange he
couldn't stand it long

die Hand, -, ⸚e the hand; zur linken
Hand on his left, to the left

der Handel, -s the trade, commerce; die Handelsstadt, -, ⸚e the
commercial city

sich handeln (um) to concern, have
to do with, be a question of

das Handwerk, -(e)s, -e the trade,
handicraft; der Handwerker, -s, -
the artisan

hangen or hängen, hing, hat gehangen,
er hängt (intr.) and hängen (trans.)
to hang

hart hard, difficult

hassen to hate; der Haß, -(ss)es the
hate

häßlich ugly

der Haufe(n), -ns, -n the heap, pile

das Haupt, -(e)s, ⸚er the head; die
Hauptarbeit, -, -en the main
work; die Hauptaufgabe, -, -n the
chief task; die Hauptfrage, -, -n
the chief question; der Haupt=
mann, -(e)s, Hauptleute the cap-
tain; die Hauptsache, -, -n the
main thing; hauptsächlich chiefly,
mainly; die Hauptstadt, -, ⸚e the
capital; der Hauptwunsch, -es, ⸚e
the chief wish

das Haus, -(f)es, ⸚(f)er the house;
nach Hause home; zu Hause at
home; die Hausfrau, -, -en the
housewife, mistress of the house;
das Hausgesetz, -es, -e the rule of
the house; der Haushalt, -(e)s, -e
the household; der Hausherr, -n,
-en the landlord, master of the
house, householder; der Hauswirt,
-(e)s, -e the landlord

häuslich domestic

heben, hob, hat gehoben to lift, raise

hebrä'isch Hebrew

das Heer, -(e)s, -e the army

das Heft, -(e)s, -e the notebook,
pamphlet

heilen to heal, cure; die Heilkunst,
-, ⸚e the art of healing, medicine

der Heilige, -n, -n the saint

das Heim, -(e)s, -e the home; heim=
bringen, brachte heim, hat heimge=
bracht to bring home; heimisch
at home, native; heim=kehren (sein)
to return home; die Heimkehr, -
the return home; heimlich private, secret; heim=reiten, ritt heim,
ist heimgeritten to ride home

die Heimat, -, ⸚e the home, native
place; das Heimatland, -(e)s, -e
the homeland; der Heimatsort,
-(e)s, -e the native place

heiraten to marry; die Heirat, -, -en
the marriage

heiß hot

heißen, hieß, hat geheißen to be
called; mean, signify; bid; jemand
willkommen heißen to welcome
someone

der Held, -en, -en the hero

helfen, half, hat geholfen, er hilft to
help, avail, do any good

hell light, bright, early; helle Trä=
nen big tears

der Helm, -(e)s, -e the helmet

Helve'tia Switzerland

das Hemd, -(e)s, -en the shirt; der
Hemdenknopf, -(e)s, ⸚e the shirt-
button, stud

her hither, here, this way

herab' down

herab'=rufen, rief herab, hat herabge=
rufen to call down

herab'=sehen, sah herab, hat herabge=
sehen, er sieht herab to look down

heran'=kommen, kam heran, ist heran=
gekommen to approach

heran'=reifen (sein) to begin to mature

herauf' up

herauf'=holen to fetch up

herauf=kommen, kam herauf, ist her=
aufgekommen to come up

heraus' out

heraus'=bekommen, bekam heraus, hat
herausbekommen to get out, find
out

heraus'=bringen, brachte heraus, hat
herausgebracht to bring out, get
out, find out

heraus'=geben, gab heraus, hat her=
ausgegeben, er gibt heraus to edit,
publish

heraus'=ziehen, zog heraus, hat her=
ausgezogen to pull out

her=bringen, brachte her, hat herge=
bracht to bring here

der Herbst, =es, =e the fall, autumn

der Herd, =(e)s, =e the hearth, fire-
place

herein' in; come in!

herein'=kommen, kam herein, ist herein=
gekommen to come in

her=kommen, kam her, ist hergekommen
to come from

der Herr, =n, =en the master, gen-
tleman, Mr.; herrlich lordly, glo-
rious, magnificent, excellent; die
Herrschaft, =, =en the rule, domin-
ion; herrschen to rule, reign, pre-
vail; der Herrscher, =s, = the ruler

herum' around, about

herum'=liegen, lag herum, hat herum=
gelegen to lie about

herum'=ziehen, zog herum, ist herum=
gezogen to move about

herun'ter=werfen, warf herunter, hat
heruntergeworfen, er wirft herunter
to throw down

hervor' forth, forward, out

hervor'=bringen, brachte hervor, hat
hervorgebracht to bring forth,
produce

hervor'=steigen, stieg hervor, ist her=
vorgestiegen to rise from

hervor'=treten, trat hervor, ist hervor=
getreten, er tritt hervor to step
forward

das Herz, =ens, =en the heart; herzig
charming; herzlich hearty, sincere

der Herzog, =(e)s, =e or ⸗e the duke;
die Herzogin, =, =nen the duchess;
das Herzogtum, =(e)s, ⸗er the
duchy

(das) Hessen, =s Hessia

heulen to howl

heute today; heute in einem Jahr a
year from today; heutig of today,
present-day; previous, last

die Hexe, =, =n the witch

hier here; hierher here, hither

die Hilfe, =, =n the help

der Himmel, =s, = the heaven, sky

hin that way, thither, to that place;
vor sich hin to himself

hinauf' up

hinauf'=fliegen, flog hinauf, ist hinauf=
geflogen to fly up

hinauf'=gehen, ging hinauf, ist hinauf=
gegangen to go up

hinauf'=rufen, rief hinauf, hat hinauf=
gerufen to call up

hinauf'=schauen to look up

hinauf'=steigen, stieg hinauf, ist hinauf=
gestiegen to climb up

hinauf'=werfen, warf hinauf, hat hin=
aufgeworfen, er wirft hinauf to
throw up

hinaus' out

hinaus'=führen to lead out

hinaus'=gehen, ging hinaus, ist hin=
ausgegangen to go out

hinaus'=jagen to chase out

hinaus'=reiten, ritt hinaus, ist hinaus=
geritten to ride out

hinaus'=schreien, schrie hinaus, hat
hinausgeschrien to call out

hinaus'=treten, trat hinaus, ist hinaus=
getreten, er tritt hinaus to step
out

hinaus'=werfen, warf hinaus, hat hin=
ausgeworfen, er wirft hinaus to
throw out

hinaus'=wollen, wollte hinaus, hat
hinausgewollt, er will hinaus to
want to go out

hinein' in

hinein'=fliegen, flog hinein, ist hinein=
geflogen to fly in

hinein′=gehen, ging hinein, ist hinein=gegangen   to go in

hinein′=schauen   to look in

hinein′=schreiben, schrieb hinein, hat hineingeschrieben   to write in

hinein′=stoßen, stieß hinein, hat hineingestoßen, er stößt hinein   to push in, thrust in

hinge′gen   on the other hand

hin=gehen, ging hin, ist hingegangen   to go over to

hin=legen   to lay down

hin=schauen   to look towards

hin=sehen, sah hin, hat hingesehen, er sieht hin   to look towards

hin=setzen   to set down

hinter (+ *dat.* or *acc.*)   behind

der Hinterfuß, =es, ⸚e   the hind foot

der Hintergrund, =(e)s, ⸚e   the background, rear

hinterlassen, hinterließ, hat hinterlassen, er hinterläßt   to leave behind, bequeath

die Hintertür, =, =en   the back door

hinü′ber   over

hinü′bergehen, ging hinüber, ist hinübergegangen   to go over

hinü′ber=schauen   to look over

hinü′ber=ziehen, zog hinüber, hat hinübergezogen   to draw over, win over

hinun′ter   down

hinun′ter=führen   to lead down

hinun′ter=gehen, ging hinunter, ist hinuntergegangen   to go down

hinun′ter=lassen, ließ hinunter, hat hinuntergelassen, er läßt hinunter   to let down

hinun′ter=steigen, stieg hinunter, ist hinuntergestiegen   to step down

hinun′ter=werfen, warf hinunter, hat hinuntergeworfen, er wirft hinunter   to throw down

hinzu′=setzen   to add

der Hirt(e), =(e)n, =(e)n   the shepherd; der Hirtenknabe, =n, =n   the shepherd boy

der Histo′riker, =s, =   the historian; historisch   historical

hoch   high

die Hochzeit, =, =en   the wedding; das Hochzeitsgeschenk, =(e)s, =e   the wedding present

der Hof, =(e)s, ⸚e   the court, courtyard, farmyard, farm; Haus und Hof   house and home; der Hofbeamte, =n, =n   the court official; die Hofoper, =, =n   the court opera; der Hoforganist′, =en, =en   the court organist; die Hofpartei′, =, =en   the court party; das Hofthea′ter, =s, =   the court theatre

hoffen   to hope; hoffentlich   it is to be hoped, we hope, I hope; die Hoffnung, =, =en   the hope

die Höhe, =, =n   the height; in die Höhe fahren   to start up; der Höhepunkt, =(e)s, =e   the culminating point, climax, peak

höherstehend   higher

hohl   hollow; die Höhle, =, =n   the cave

hold   gracious, fair, sweet

holen   to go and get, fetch; jemand holen lassen   to send for someone

das Holz, =es, ⸚er   the wood; der Holzschnitt, =(e)s, =e   the woodcut; der Holzteller, =s, =   the wooden plate

horchen   to listen

hören   to hear; hören Sie mal!   look here; das Hörinstrument, =s, =e   the instrument to improve the hearing

hübsch   pretty

der Huf, =(e)s, =e   the hoof

der Hügel, =s, =   the hill

das Huhn, =(e)s, ⸚er   the hen, chicken

der Hund, =(e)s, =e   the dog

hundertjährig   hundred-year-old, of a hundred years

der Hunger, =s   the hunger; Hunger haben   to be hungry; hungrig   hungry

der Hut, =(e)s, ⸚e   the hat

die Hütte, =, =n   the hut, cottage

Z

immer always; noch immer, immer noch still; immer wieder again and again; immerfort on and on; immerhin' at all events, be that as it may

indem' while, as

indes' however

infol'ge (+ gen. or von + dat.) in consequence of, owing to

der Inhalt, -(e)s, -e the contents

inmit'ten (+ gen.) in the midst of

inner inner, inward, interior; das Innere, -n the inside, interior; innerhalb within; innerlich inward, deep; innig fervent, heartfelt

die Insel, -, -n the island

die Intelligenz', -, -en the intelligence; intelligentsia, intellectuals

der Intendant', -en, -en the general manager (of a theatre)

interessant' interesting; das Interes'se, -s, -n the interest; sich interessieren (für + acc.) to be interested (in)

intim' intimate

inzwi'schen meanwhile

irdisch earthly, of this world

irgend some, any; irgend etwas something (or other); irgendein some; irgendwohin somewhere

sich irren to be mistaken

I

ja yes; why; by all means, yes indeed, surely

die Jacke, -, -n the jacket, coat

jagen to hunt; chase; der Jäger, -s, - the hunter; die Jägertracht, -, -en the hunting costume; die Jagd, -, -en the hunt; der Jagdhund, -(e)s, -e the hunting dog

das Jahr, -(e)s, -e the year; die Jahreszeit, -, -en the time of year, season; das Jahrhundert, -s, -e the century; jährlich yearly, annual

jauchzen to shout with joy, exult

je ever

jedenfalls at any rate, by all means

jeder, jede, jedes each, every, any

jedesmal every time

jedoch' however, but

jemand someone

jenseitig yonder; die jenseitige Welt the next world

jetzt now

die Jugend, -, -en the youth; die Jugendjahre (pl.) the early years; jugendlich youthful, young

jung young; der Junge, -n, -n the boy; die Jungfrau, -, -en the maiden, virgin; der Jüngling, -s, -e the youth, young man

der Junker, -s, - the young nobleman, squire

das Juwel', -s, -e the jewel

K

der Kaffee, -s the coffee

kahl bare, barren

der Kaiser, -s, - the emperor; die Kaiserin, -, -nen the empress

der Kalen'der, -s, - the calendar

kalt cold

der Kamerad', -en, -en the comrade, companion; die Kameradschaft, -, -en the comradeship

kämpfen to fight; der Kampf, -(e)s, -e the fight, battle

das Kano'nengebrüll, -s the roar of cannon; der Kanonenschuß, -(ss)es, -(ss)e the cannon shot

der Kanzler, -s, - the chancellor

der Kapell'meister, -s, - the conductor of an orchestra, bandmaster

die Kappe, -, -n the cap

die Karte, -, -n the card, post-card, map

die Kartof'fel, -, -n the potato

die Kaser'ne, -, -n the barracks

das Kasi'no, -s, -s the casino, club, officers' mess; der Kasinotisch, -es, -e the table in the casino

das Kästchen, =s, = the little box

katho'lisch Catholic

die Katze, =, =n the cat

kaufen to buy, purchase; der Kauf, =(e)s, ⸗e the purchase; der Kaufmann, =(e)s, Kaufleute the business man, merchant

kaum scarcely, hardly

kehren to turn, return

der Keller, =s, = the cellar, basement

kennen, kannte, hat gekannt to know, be acquainted with; kennen=lernen to make the acquaintance of; die Kenntnis, =, =(ss)e the knowledge

der Kerl, =(e)s, =e or =s (colloquial) the fellow

der Kessel, =s, = the kettle

der Ketzer, =s, = the heretic

das (or der) Kilometer, =s, = the kilometer

das Kind, =(e)s, =er the child; kinderleicht extremely easy; kinderlos childless

die Kirche, =, =n the church; der Kirchenvater, =s, ⸗ the church father

klagen to complain; die Klage, =, =n the complaint, plaint; kläglich pitiable

klar clear

der Klassiker, =s, = the classic, classical author; klassisch classical

das Klavier', =(e)s, =e the piano; das Klavierspiel, =(e)s the piano playing; der Klavierspieler, =s, = the pianist

das Kleid, =(e)s, =er the dress, pl. clothes; kleiden to clothe; die Kleidung, =, =en the clothing

klein small, little

klettern to climb

klingeln to ring; die Klingel, =, =n the bell; der Klingelknopf, =(e)s, ⸗e the bell-button

klingen, klang, hat geklungen to sound

klirren to clatter, rattle

klopfen to knock, beat

das Kloster, =s, ⸗ the cloister, monastery, convent

klug wise, shrewd, clever

der Knabe, =n, =n the boy

der Knecht, =(e)s, =e the hired hand, farm servant

der Knochen, =s, = the bone

kochen to cook; der Koch, =(e)s, ⸗e the cook (masc.); die Köchin, =, =nen the cook (fem.)

der Koffer, =s, = the trunk

der Kognak, =s, =e or =s the cognac; die Kognakflasche, =, =n the bottle of cognac

die Kohle, =, =n the coal

(das) Köln, =s Cologne

kommen, kam, ist gekommen to come; kommen lassen to order

die Komö'die, =, =n the comedy

komponieren to compose; der Komponist', =en, =en the composer; die Komposition', =, =en the composition

kompromittieren to compromise; der Kompromiß', =(ss)es, =(ss)e the compromise

der König, =(e)s, =e the king; die Königin, =, =nen the queen; königlich royal; die Königsburg, =, =en the king's castle; das Königshaus, =es, ⸗er the royal house; der Königsglanz, =es the royal splendor; das Königskind, =(e)s, =er the king's child; das Königsschloß, =(ss)es, ⸗(ss)er the king's castle; der Königssohn, =(e)s, ⸗e the king's son, prince; die Königstochter, =, ⸗ the king's daughter, princess; das Königswort, =(e)s the king's word

können, konnte, hat gekonnt or können, er kann to be able, can

das Konzert', =(e)s, =e the concert; das Konzertleben, =s the giving of concerts; die Konzertreise, =, =n the concert tour

der Kopf, =(e)s, ⸗e the head

der Körper, =s, = the body; körperlich bodily, physical

kosten to cost; **die Kosten** (*pl.*) the costs; **kostbar** precious; **kostenlos** without expense

die Kraft, =, ⸚e the power, strength, might, force

krähen to crow

krank sick, ill; **die Krankheit**, =, =en the sickness, illness

kränken to offend

kratzen to scratch

der Kreis, =(f)es, =(f)e the circle

das Kreuz, =es, =e the cross; **kreuz und quer** zigzag

kriechen, **kroch**, **ist gekrochen** to creep, crawl

der Krieg, =(e)s, =e the war; **der Krieger**, =s, = the warrior; **die Kriegsentschädigung**, =, =en the war indemnity; **die Kriegspartei'**, =, =en the war party

die Kritik', =, =en the criticism, review; **der Kritiker**, =s, = the critic; **kritisch** critical

die Krone, =, =n the crown; **der Kronprinz**, =en, =en the crown prince; **die Krönung**, =, =en the coronation

die Krücke, =, =n the crutch

der Krüppel, =s, = the cripple

die Küche, =, =n the kitchen

die Kugel, =, =n the bullet

kühl cool

die Kultur', =, =en the civilization; **der Kulturkampf**, =(e)s *the struggle of the Prussian government with the Roman Catholic Church*

der Kummer, =s the grief, sorrow

die Kunde, =, =n the lore, news

künftig in the future, future

die Kunst, =, ⸚e the art, occupation, skill, trade; **der Künstler**, =s, = the artist; **kunstvoll** artistic, skillful; **das Kunstwerk**, =(e)s, =e the work of art

der Kupferstecher, =s, = the copper engraver

der Kurfürst, =en, =en the electoral prince

kurz short, brief; **die Kürze**, =, =n the shortness; **kürzlich** recently

küssen to kiss; **der Kuß**, =(ff)es, ⸚(ff)e the kiss

die Küste, =, =n the coast

L

lächeln to smile

lachen to laugh

lächerlich laughable, ridiculous

die Lage, =, =n the situation

das Lager, =s, = the camp

das Land, =(e)s, ⸚er the land, country; (*pl.*) **die Lande** country, territory (*poetic*); **das Landhaus**, =(f)es, ⸚(f)er the country house; **die Landschaft**, =, =en the landscape; **der Landtag**, =(e)s, =e the provincial diet; **der Landwirt**, =(e)s, =e the farmer

lang(e) long, for a long time; **so lang er war** full length; **längst** long ago

langsam slow

die Lanze, =, =n the lance

der Lärm, =(e)s the noise

lassen, **ließ**, **hat gelassen**, **er läßt** to let, leave; **Lassen Sie nur!** Never mind!

das Latein', =s Latin; **lateinisch** Latin; **die Lateinschule**, =, =n the Latin school

laufen, **lief**, **ist gelaufen**, **er läuft** to run; **der Lauf**, =(e)s, ⸚e the course; **die Laufbahn**, =, =en the career

die Laune, =, =n the mood

laut loud, aloud

die Laute, =, =n the lute

lauten to be worded, read

leben to live; **das Leben**, =s, = the life, reality; **leben'dig** alive; **die Lebensaufgabe**, =, =n the lifework; **lebensfroh** happy; **lebenslustig** enjoying life, jovial, jolly; **das Lebensjahr**, =es, =e the year of life; **das Lebenswerk**, =(e)s, =e the life-work; **lebhaft** lively,

keenly; **das Lebewohl'**, =(e)s, =e or
=s the farewell; **leblos** lifeless,
dead

leer empty; **leeren** to empty

legen to lay; **sich legen** to lie down

lehren to teach; **der Lehrer**, =s, =
the teacher (*masc.*); **die Lehrerin**, =,
=nen the teacher (*fem.*); **das Lehrgeld**, =(e)s, =er the fee, apprentice's premium; **der Lehrling**, =s, =e
the apprentice; **der Lehrstuhl**,
=(e)s, =e the professorial chair;
die Lehrzeit, =, =en the appren-
ticeship

die Leiche, =, =n the dead body,
corpse

der Leichnam, =(e)s, =e the dead
body, corpse

leicht easy, light, slight; **der Leichtsinn**, =(e)s the levity, frivolity,
indiscretion; **leichtsinnig** frivo-
lous, light-minded

leiden, **litt**, **hat gelitten** to suffer;
leid tun to be sorry, regret; **das
Leid**, =(e)s the sorrow, grief,
harm, injury; **das Leiden**, =s, =
suffering, ailment; **jemand ein
Leids tun** to harm, injure someone

leider unfortunately

leise soft, low, gentle

leiten to lead, conduct; **die Leitung**,
=, =en the direction, management

die Lektion', =, =en or archaic =es the
lesson

die Lektü're, =, =n the reading

die Lerche, =, =n the lark

lernen to learn

lesen, **las**, **hat gelesen**, **er liest** to read

letzt last

leuchten to shine

leugnen to deny

die Leute (*pl.*) the people

der Leutnant, =s, =s the lieutenant;
die Leutnantsuniform', =, =en the
lieutenant's uniform

das Licht, =(e)s, =e or =er the light;
jemand hinters Licht führen to
take someone in, fool, deceive

lieben to love; **lieb** dear; **es würde
ihm lieb sein** he would be pleased;
die Liebe, = the love; **das Liebchen**,
=s, = the sweetheart; **die Liebe-
lei'**, =, =en the flirtation, frivo-
lous love-affair; **liebenswürdig**
kind, amiable; **die Liebesleute** (*pl.*)
or **das Liebespaar**, =(e)s, =e the
pair of lovers; **das Liebesverbot**,
=(e)s the love-prohibition (*title
of an early Wagner opera*); **lieblich**
lovely, charming; **am liebsten haben** to like (love) most of all

lieber rather, better

das Lied, =(e)s, =er the song

liegen, **lag**, **hat gelegen** to lie, be
situated

lind gentle, mild

die Linde, =, =n the linden tree; **der
Lindenbaum**, =(e)s, =e the linden
tree

link left; **links** to (on) the left

die Lippe, =, =n the lip

die Literatur', =, =en the literature;
der Literat', =en, =en the literary
man, writer; **litera'risch** literary

der Lizentiat', =en, =en the licentiate

locken to entice, lure

der Lohn, =(e)s, =e the reward

los loose, free; **was ist los?** what
is the matter? **sich los-machen** to
get away, disengage oneself; **los-
werden**, **wurde los**, **ist losgeworden**,
er wird los to get rid of

das Los, =(s)es, =(s)e the lot, fate

lösen to solve; **die Lösung**, =, =en
the solution

(**das**) **Lothringen**, =s Lorraine

der Löwe, =n, =n the lion

die Luft, =, =e the air, breeze

lügen, **log**, **hat gelogen** to lie, tell a
falsehood; **der Lügner**, =s, = the
liar

die Lunge, =, =n the lung

die Lust, =, =e the pleasure, joy, in-
clination, desire; **lustig** merry,
gay, jolly; **sich lustig machen** (**über**
+ *acc.*) to make fun (of); **das
Lustspiel**, =(e)s, =e the comedy

lutherisch Lutheran
der Luxus, = the luxury

M

machen to make, do; Geschäfte machen to do business; Schulden machen to contract debts

die Macht, =, ⁼e the might, power, force; mächtig mighty, powerful

das Mädchen, =s, = the girl

der Magen, =s, ⁼ the stomach

die Magie', = the magic; magisch magical

das Mahl, =(e)s, =e or ⁼er the meal; die Mahlzeit, =, =en the meal

das Mal, =(e)s, =e the time; mal (= einmal) time, once, some day, just

malen to paint; der Maler, =s, = the painter; die Malerei', =, =en painting

man one, they, people

mancher, manche, manches many a, many a one, some; manchmal sometimes

der Mangel, =s, ⁼ the want, lack, deficiency; mangelhaft deficient, imperfect, faulty

die Manier', =, =en the manner, deportment

der Mann, =(e)s, ⁼er the man, male, husband; männlich manly, male, masculine

die Mär(e), =, =(e)n the tale, tidings, news

das Märchen, =s, = the fairy-tale

die Mark, = the mark (normal value about 25 cts.)

die Mäßigung, =, =en the moderation

matt faint, exhausted

das Maul, =(e)s, ⁼er the mouth (of animals); das Maul halten to shut up

die Maus, =, ⁼(s)e the mouse

die Medizin', ⁼, =en the medicine; medizinisch medical

das Meer. =(e)s, =e the sea, ocean

mehr more; mehrere several; mehrmals several times; die Mehrzahl, = the majority

meinen to mean, think, say; die Meinung, =, =en the opinion

meinetwegen for my sake, so far as I am concerned, for aught I care, all right

meist most; meistens mostly, usually

der Meister, =s, = the master; der Meistergesang, =(e)s, ⁼e the song of a master singer; der Meistersinger, =s, = the master singer; das Meisterstück, =(e)s, =e the masterpiece; das Meisterwerk, =(e)s, =e the masterly work, the greatest work

melden to inform, report, announce; sich melden lassen send in one's name; die Meldung, =, =en the notice, report

die Menge, =, =n the quantity, number, multitude, crowd

der Mensch, =en, =en the human being, man, person; die Menschheit, = the humanity; menschlich human

merken to observe, take note of, perceive

messen, maß, hat gemessen, er mißt to measure, compare

das Messer, =s, = the knife

miau'en to mew, caterwaul

die Miene, =, =n the mien, look, expression

mild(e) mild, gentle

der Militär'dienst, =es the military service

die Milliar'de, =, =n the billion

der Minis'terpräsident', =en, =en the prime minister

die Minu'te, =, =n the minute

mischen to mix, blend; sich mischen to interfere, meddle with

mißbrau'chen to abuse

mißhan'deln to abuse, ill-treat

das Mißtrauen, =s the mistrust, distrust

mit (+ *dat.*) with, by, at, at the age of; die Mitarbeit, =, =en the collaboration; mit=bringen, brachte mit, hat mitgebracht to bring along; miteinan'der with one another; mit=gehen, ging mit, ist mitgegangen to go along; die Mit= gift, =, =en the dowry; das Mitglied, =(e)s, =er the member; mit=nehmen, nahm mit, hat mitge= nommen, er nimmt mit to take along

der Mittag, =(e)s, =e the midday, noon; das Mittagessen, =s, = the midday meal, dinner; die Mittags= zeit, =, =en the noon-time

die Mitte, =, =n the middle, center

mit=teilen to impart, communicate, inform

das Mittel, =s, = the means

das Mittelalter, =s the middle ages

die Mitternacht, =, =e the midnight

mögen, mochte, hat gemocht *or* mögen, er mag to care for, like, may

möglich possible; möglicherweise possibly; möglichst so far as possible

der Monat, =(e)s, =e the month

der Mönch, =(e)s, =e the monk

der Mond, =(e)s, =e the moon; die Mondnacht, =, =e the moonlit night

der Morgen, =s, = the morning; morgen tomorrow; morgens in the morning

müde tired; sich müde laufen run until one is tired

die Mühe, =, =n the difficulty, effort, labor

die Mühle, =, =n the mill; das Müh= lenrad, =(e)s, =er the mill-wheel; der Mühlstein, =(e)s, =e the mill-stone

(das) München, =s Munich

der Mund, =(e)s, =e *or* =e *or* =er the mouth

munter merry, cheerful, jolly

murmeln to mumble, mutter

die Musik', = the music; musika'lisch musical; der Musikant', =en, =en the musician; der Musikdirektor, =s, =en the chief conductor; der Mu'= siker, =s, = the musician; das Musikdrama, =s, =en the music drama, opera; der Musikunterricht, =(e)s the instruction in music, music lessons

müssen, mußte, hat gemußt *or* müssen, er muß to be obliged, have to, must

das Muster, =s, = the pattern, model; der Musterstaat, =(e)s, =en the model state

der Mut, =(e)s the courage

die Mutter, =, ─ the mother; das Mutterhaus, =(s)es the source; mütterlich motherly, in motherly fashion; die Muttersprache, =, =n the mother tongue, native tongue

die Mütze, =, =n the cap

N

na well

nach (+ *dat.*) toward, to, for, after, according to; nachdem' after

nach=ahmen to imitate

der Nachbar, =s *or* =n, =n the neighbor

nachdenklich thoughtful, reflecting

nach=folgen (sein) to follow, succeed; der Nachfolger, =s, = the successor

nach=geben, gab nach, hat nachgegeben, er gibt nach to give in, yield

nachher afterwards

der Nachmittag, =(e)s, =e the afternoon

die Nachricht, =, =en the news, information

nach=sehen, sah nach, hat nachgesehen, er sieht nach to look after

nächst next

die Nacht, =, =e the night; nachts at night; nächtlich nightly, nocturnal; die Nachtmusik, = the serenade

die Nachtigall, =, =en the nightingale

die Nachwelt, = the posterity

nah(e) near, nearby, close; sich nahen to draw near, approach; die Nähe, = the nearness, proximity; sich nähern to draw near, approach; das Nähere, =n the details, particulars

nähen to sew

nähren to nourish, feed

der Name, =ns, =n the name; namens by the name of; das Namensfest, =(e)s, =e the festival of the anniversary of one's saint; namentlich especially, particularly

nämlich namely, that is to say, you know, for

das National'gefühl, =s the feeling for one's country

die Natur', =, =en the nature; disposition, temperament; natürlich natural, of course; naturwissenschaftlich scientific

der Nebelstreif, =en, =en the streak of mist

neben (+ dat. or acc.) next to, beside; das Nebenzimmer, =s, = the next room, adjoining room

das Neckartal, =(e)s the Neckar valley

der Neffe, =n, =n the nephew

nehmen, nahm, hat genommen, er nimmt to take; zu sich nehmen to appropriate

der Neid, =(e)s the envy

nein no

nennen, nannte, hat genannt to name, call, term

das Nest, =(e)s, =er the nest

das Netz, =es, =e the net, snare

neu new; von neuem anew, again; neuartig new kind of, novel; neugegründet newly founded; neugierig curious, inquisitive

das Nibelungendrama, =s the drama of the Nibelungs; der Nibelungenring, =s the ring cycle of the Nibelungs

nicht not; nichts nothing

nicken to nod

nie never

nieder down

nieder=fallen, fiel nieder, ist niedergefallen, er fällt nieder to fall down

die Niederlande the Netherlands

sich nieder=lassen, ließ sich nieder, hat sich niedergelassen, er läßt sich nieder to settle down, establish oneself

nieder=legen to lay down

nieder=rollen to roll down

nieder=schlagen, schlug nieder, hat niedergeschlagen, er schlägt nieder to strike down

nieder=schreiben, schrieb nieder, hat niedergeschrieben to write down

nieder=steigen, stieg nieder, ist niedergestiegen to step down, climb down

niemals never

niemand no one

nimmermehr never

noch still, yet, in addition, even, nor; noch dazu moreover; nochmal = noch einmal once more

die Nonne, =, =n the nun

der Nord, =(e)s or der Norden, =s the north; der Norddeutsche Bund, =(e)s the North German Confederation

die Not, =, =e the need, want, trouble, distress; nötig necessary; notwendig necessary

nun now; well, why

nur only

der Nutzen, =s the profit, benefit; nutzlos useless

D

ob if, whether, because of

oben above, upstairs

obgleich' although

der Obstbaum, =(e)s, =e the fruit tree

obwohl' although

öde desolate, waste

oder or

der Ofen, =s, = the stove

offen open; offene Karten spielen to lay one's cards on the table
öffnen to open
oft often
öfter often, frequently
ohne (+ acc. or inf. with zu) without
das Ohr, =(e)s, =en the ear; die Ohrfeige, =, =n the box on the ear
der Onkel, =s, = the uncle
die Oper, =, =n the opera
das Opfer, =s, = the sacrifice
ordentlich proper
die Ordnung, =, =en the order; Ordnung machen to put in order, tidy
der Ort, =(e)s, =e or =er the place, spot, locality
der Osten, =s the east; östlich easterly, east
(das) Österreich, =s Austria; österreichisch Austrian
der Ozean, =s, =e the ocean

P

das Paar, =(e)s, =e the pair, couple; ein paar a few, several
packen to pack
die Palme, =, =n the palm tree
passen to fit
passieren to happen
der Patri'zier, =s, = the patrician
pedan'tisch pedantic
die Person', =, =en the person; persönlich personal; die Persönlichkeit, =, =en the personality
der Pfarrer, =s, = the clergyman, vicar, parson, priest
die Pfeife, =, =n the pipe
das Pferd, =(e)s, =e the horse
pflanzen to plant; die Pflanze, =, =n the plant
die Pflicht, =, =en the duty; pflichtvergessen forgetful of one's duty, unfaithful
die Phantasie', =, =n the imagination, fancy; phantasieren to improvise

planen to plan; der Plan, =(e)s, =e the plan
der Platz, =es, =e the place; Platz nehmen to sit down
plötzlich suddenly
die Polizei', = the police; der Polizeibeamte, =n, =n the police official
der Posten, =s, = the post, position
der Praktikant, =en, =en the practitioner; assistant (a person preparing for law practice and serving without remuneration)
praktisch practical
predigen to preach
der Preis, =(f)es, =(f)e the price, prize
(das) Preußen, =s Prussia; preußisch Prussian; der Preuße, =n, =n the Prussian
der Privat'mann, =(e)s, =er or Privatleute the private person; der Privatlehrer, =s, = the tutor; der Privatunterricht, =(e)s the private instruction
der Profes'sor, =s, =en the professor; die Professur', =, =en the professorship
protestan'tisch Protestant
prüfen to probe, test, find out, examine
die Prügel (pl.) the drubbing, thrashing
das Pult, =(e)s, =e the desk
das Pulver, =s, = the powder
der Punkt, =(e)s, =e the point

Q

quälen to torture, torment
der Qualm, =(e)s the thick smoke, vapor
das Quartier', =(e)s, =e the quarters; lands

R

rächen to avenge, revenge; die Rache, = the vengeance, revenge
der Rachen, =s, = the jaws (of beasts), throat

der Rang, =(e)s the rank, degree, grade, rate

rasch quick, swift

raten, riet, hat geraten, er rät to advise; der Rat, =(e)s the advice, counsel; der Ratsherr, =n, =en the councillor, senator, alderman; nun ist guter Rat teuer this is a difficult situation

rauben to rob, steal; der Räuber, =s, = the robber; das Räuberhaus, =(f)es, ⸗(f)er the robbers' house

rauchen to smoke; der Rauch, =(e)s the smoke

rauschen to roar, rustle, murmur

rechnen to reckon, calculate, do sums; die Rechnung, =, =en the bill

recht right, good, worth while; very, quite; erst recht now all the more, more than ever; recht haben to be right; rechtzeitig prompt, in good time; das Recht, =(e)s, =e the right, law, justice

reden to speak, talk, converse; die Rede, =, =n the speech; eine Rede halten to deliver a speech; es ist keine Rede davon it is out of the question; der Redestrom, =(e)s the flow of words, verbosity

die Regel, =, =n the rule

der Regen, =s the rain

regieren to rule, reign; die Regierung, =, =en the government

das Regiment', =(e)s, =er the regiment; der Regimentsmedikus, = the regimental medical officer

reich rich, wealthy; der Reichtum, =(e)s, ⸗er the riches, wealth

das Reich, =(e)s, =e the realm, kingdom, empire, Reich; die Reichsacht, = the ban of the empire; die Reichsacht verhängen to outlaw; das Reichskammergericht, =(e)s the Supreme Court; der Reichskanzler, =s the Imperial Chancellor; die Reichsstadt, =, ⸗e the imperial city; der Reichstag, =(e)s, =e the Imperial Diet

reichen to hand over, give, reach

reif ripe; reifen to grow ripe, mature

die Reihe, =, =n the row, line, file, series; an die Reihe kommen to get one's turn

der Reih(e)n, =s the round dance

'rein=fallen, fiel 'rein, ist 'reingefallen, er fällt 'rein (colloquial) to fall into (a trap), get caught

reinigen to clean

reisen to travel; die Reise, =, =n the journey

reiten, ritt, ist geritten to ride; der Reiter, =s, = the rider, horseman, trooper

reizen to allure, attract, charm; reizend charming

der Rektor, =s, =en the rector, principal, head, chancellor

rennen, rannte, ist gerannt to run

die Residenz', =, =en the residence, seat of the court, capital

retten to save, rescue

das Rheinufer, =s, = the bank of the Rhine

richten to direct, address

der Richter, =s, = the judge

richtig right, correct; sure enough

die Richtung, =, =en the direction, line

riechen, roch, hat gerochen to smell, scent, sniff

die Rinde, =, =n the bark

der Ring, =(e)s, =e the ring; der Ringfinger, =s, = the ring-finger

rings, ringsum' round about, on all sides

der Ritt, =(e)s, =e the ride

der Ritter, =s, = the knight

die Rivalität', =, =en the rivalry

rollen to roll; die Rolle, =, =n the rôle

(das) Rom, =s Rome; der Römer, =s, = the Roman; römisch Roman

der Roman', =s, =e the novel; romantisch romantic

die Rose, =, =n the rose

das Roß, =(ff)es, =(ff)e the horse, steed; roßzerstampft trodden down by horses

rot red; der Rotkopf, =(e)s, ⸗e the red-head

der Rücken, =s, = the back

die Rückkehr, = the return

rufen, rief, hat gerufen to call, cry out, shout; der Ruf, =(e)s, =e the call

ruhen to rest; die Ruhe, = the rest, quiet, calm, peace; die Ruhestätte, =, =n the resting place; ruhig quiet, calm

rühmen to praise, mention with praise; der Ruhm, =(e)s the fame

sich rühren to move, stir

die Rüstung, =, =en the coat of armor

(das) Rußland, =s Russia

S

die Sache, =, =n the thing, matter

(das) Sachsen, =s Saxony

der Sack, =(e)s, ⸗e the sack, bag, pocket

sagen to say; die Sage, =, =n the legend

die Saison', =, =s the season

sammeln to collect, gather; die Sammlung, =, =en the collection

samt (+ dat.) with, together with

sämtlich all, entire

der Sand, =(e)s, =e the sand

sanft gentle

der Sänger, =s, = the singer (masc.); die Sängerin, =, =nen the singer (fem.)

Sankt Saint

der Satanas, =, =(ff)e Satan

satteln to saddle; der Sattel, =s, ⸗ the saddle

der Satz, =es, ⸗e the sentence, thesis, proposition

säuseln to rustle

der Schädel, =s, = the skull

schaden to harm, injure, matter

das Schaf, =(e)s, =e the sheep; die Schäferin, =, =nen the shepherdess

der Schaffner, =s, = the conductor, guard (on railroad train)

die Schar, =, =en the group

scharf sharp; schärfen to sharpen

der Schatten, =s, = the shade, shadow

der Schatz, =es, ⸗e the treasure

schauen to look, see; der Schauspieler, =s, = the actor; die Schauspielerin, =, =nen the actress

scheiden, schied, hat geschieden to separate; sich scheiden lassen to get a divorce

scheinen, schien, hat geschienen to shine, seem, appear

schenken to present, make a gift of

scheren to concern, bother; was schert mich Weib? what care I for wife?

schicken to send

schieben, schob, hat geschoben to shove, push

schießen, schoß, hat geschossen to shoot

die Schildwache, =, =n the sentinel, guard

schimmern to glisten, gleam

die Schlacht, =, =en the battle

schlafen, schlief, hat geschlafen, er schläft to sleep; der Schlaf, =(e)s the sleep; der Schlafrock, =(e)s, ⸗e the dressing-gown

schlagen, schlug, hat geschlagen, er schlägt to strike, hit; tick (clock); der Schlag, =(e)s, ⸗e the blow, slap

schlecht bad, poor

schlesisch Silesian

schlicht plain, homely, simple

schließen, schloß, hat geschlossen to close, lock, conclude; schließlich finally, in the end

schlimm bad

das Schloß, =(ff)es, ⸗(ff)er the castle; die Schloßkirche, =, =n the castle church

schlummern to slumber, take a nap; schlummerlos slumberless

der Schlüssel, =s, = the key

ſchmeicheln to flatter

der Schmerz, =es, =en the pain; mit Schmerzen anxiously; ſchmerzlich painful; ſchmerzlos painless

ſchmieden to forge, hammer; der Schmied, =(e)s, =e the smith; die Schmiede, =, =n the smithy; die Schmiedekunſt, =, =e the art of forging

ſchmücken to adorn, decorate; der Schmuck, =(e)s, =e the adornment, ornament, decoration, jewels

ſchmutzig dirty, soiled

ſchneiden, ſchnitt, hat geſchnitten to cut; der Schneider, =s, = the tailor; der Schneidermeiſter, =s, = the master tailor

ſchnell quick, swift, fast

ſchon already; all right

ſchön beautiful; die Schönheit, =, =en the beauty

der Schöpfer, =s, = the creator

der Schrecken, =s, = the fear, terror, fright; ſchrecklich terrible

ſchreiben, ſchrieb, hat geſchrieben to write

ſchreien, ſchrie, hat geſchrien to cry, scream, shout

ſchreiten, ſchritt, iſt geſchritten to stride, walk, go

die Schrift, =, =en the script, writing, work, publication, pamphlet; auf ſchriftlichem Wege in writing; der Schriftſteller, =s, = the writer, author; das Schriftſtück, =(e)s, =e the document

der Schritt, =(e)s, =e the step, pace; ſchrittweis step by step

die Schublade, =, =n the drawer

der Schuh, =(e)s, =e the shoe; der Schuhmacher, =s, = the shoemaker; der Schuhmachermeiſter, =s, = the master shoemaker

die Schuld, =, =en the debt, guilt, fault; Schulden machen to contract debts; ſchuldig guilty

die Schule, =, =n the school; der Schüler, =s, = the scholar, pupil, student; der Schulunterricht, =(e)s the instruction, schooling; die Schulzeit, =, =en the school-days

die Schulter, =, =n the shoulder

der Schultheiß, =en, =en the chief magistrate, mayor

der Schuß, =(ſſ)es, =(ſſ)e the shot

der Schutt, =(e)s the rubbish, ruins

ſchütteln to shake

der Schütze, =n, =n the archer

ſchützen to protect, guard

ſchwach weak; die Schwäche, =, =n the weakness

der Schwanengeſang, =(e)s, =e the swan song

ſchwanken to move to and fro, fluctuate

ſchwarz black

ſchweben to hover

(das) Schweden, =s Sweden

der Schweif, =(e)s, =e the tail, train

ſchweigen, ſchwieg, hat geſchwiegen to be silent

das Schwein, =(e)s, =e the pig, swine

die Schweiz, = Switzerland; der Schweizer, =s, = the Swiss

ſchwer heavy, difficult

das Schwert, =(e)s, =er the sword

die Schweſter, =, =n the sister

ſchwierig difficult; die Schwierigkeit, =, =en the difficulty

ſchwimmen, ſchwamm, iſt geſchwommen to swim

ſchwinden, ſchwand, iſt geſchwunden to vanish, shrink, disappear, become impaired

ſchwingen, ſchwang, hat geſchwungen to swing

ſchwirren to whiz, whir

ſchwören, ſchwur, hat geſchworen to swear, take an oath; der Schwur, =(e)s, =e the oath

ſechsmonatlich (adj.) six months, of six months

der See, =s, =n the lake; die See, =, =n the sea, ocean

die Seefahrt, =, =en the voyage (by sea)

die Seele, =, =n the soul; das Seelenheil, =(e)s the salvation of (a
person's) soul

sehen, sah, hat gesehen, er sieht to
see

die Sehne, =, =n the sinew, tendon

sehr very, very much

sein, war, ist gewesen, er ist to be

seit (*conj.* or *prep.* + *dat.*) since

die Seite, =, =n the side, page; point

selbst (selber) self, myself, yourself,
etc., even; selbständig independent; die Selbständigkeit, = the independence; das Selbstbildnis,
=(ss)es, =(ss)e the portrait of himself; der Selbstmord, =(e)s, =e the
suicide; selbstverständlich self-evi-
dent, of course

selten rare, unusual, seldom

seltsam strange, unusual, odd, curious

senden, sandte, hat gesandt to send

setzen to set, place, put; sich setzen
to sit down

sicher safe, sure, certain; sicherlich
surely

siebenjährig seven-year-old, lasting
seven years, of seven years

siebzehnjährig seventeen-year-old

der Sieg, =(e)s, =e the victory; der
Sieger, =s, = the victor; der
Siegstein, =(e)s, =e the victory
stone

singen, sang, hat gesungen to sing;
die Singschule, =, =n the singing
school

sinken, sank, ist gesunken to sink

der Sinn, =(e)s, =e the intellect,
mind, meaning

die Sitte, =, =n the custom, habit

sitzen, saß, hat gesessen to sit, be in
prison

sobald' as soon as

sofort' at once, immediately

sogar' even

sogenannt' so-called

sogleich' at once, immediately

der Sohn, =(e)s, =e the son

solang(e) as long as

solch (=er, =e, =es) such

der Soldat', =en, =en the soldier

sollen, sollte, hat gesollt *or* sollen
shall, ought, to be to, is said to

der Sommer, =s, = the summer; der
Sommerhalm, =(e)s, =e the summer grain, growing grain; die
Sommerszeit, =, =en the summer
time

sonderbar singular, peculiar, strange,
odd

sondern but

die Sonne, =, =n the sun; das Son-
nenlicht, =(e)s the sunlight, clime;
der Sonnenschein, =s the sun-
shine; sonnig sunny

sonst else, otherwise, formerly

sorgen be anxious, look after, care
for, provide for; die Sorge, =, =n
the care, anxiety, sorrow; sorglos
indifferent, careless

sowie' as well as

sowohl' . . . als as well as

spalten, spaltete, gespaltet *or* gespalten
to split, cleave

der Spanier, =s, = the Spaniard

spannen to stretch, bend (*a bow*)

sparen to save, economize

der Spaß, =es, =e the jest, joke, fun,
amusement; spaßen to jest, joke,
make fun

spät late

der Spaziergang, =(e)s, =e the walk;
einen Spaziergang machen to take
a walk

speisen to eat, dine

der Spiegel, =s, = the mirror

spielen to play, gamble; das Spiel,
=(e)s, =e the play, game, gam-
bling; der Spielmann, =(e)s, Spiel-
leute the minstrel; der Spielverderber, =s, = the spoil-sport, kill-
joy

spinnen to spin

spitz pointed, sharp; die Spitze, =, =n
the point, top, peak

der Sporn, =(e)s, Sporen the spur;
dem Pferde die Spor(n)en geben
to set spurs to one's horse

die Sprache, =, =n the speech, language; der Sprachmeister, =s, = the master of languages, linguist

sprechen, sprach, hat gesprochen, er spricht to speak, talk

springen, sprang, ist gesprungen to spring, leap, jump; der Sprung, =(e)s, "e the leap, jump, bound

das Spruchgedicht, =(e)s, =e the gnomic poem, epigrammatic poem

die Spur, =, =en the trace, track, clue

St. = Sankt Saint

der Staat, =(e)s, =en the state

der Stab, =(e)s, "e the staff

die Stadt, =, "e the city; der Stadt= musikant', =en, =en the town musician; die Stadtschule, =, =n the municipal school, town school

der Stahl, =(e)s, =e or "e the steel

der Stall, =(e)s, "e the stable

stammen (sein) to be descended from, be derived from

stark strong; stärken to strengthen, brace, invigorate

statt (+ gen. or inf. with zu) instead of

statt=finden, fand statt, hat stattgefunden, es findet statt to take place

stattlich stately, distinguished

das Staubgewand, =(e)s, "er the garb of dust

stechen, stach, hat gestochen, er sticht to sting

stecken to stick, put, be, keep oneself

stehen, stand, hat gestanden to stand, be; stehen=bleiben, blieb stehen, ist stehengeblieben to remain standing, stop

stehlen, stahl, hat gestohlen, er stiehlt to steal

steif stiff, formal

steigen, stieg, ist gestiegen to climb, mount, ascend

der Stein, =(e)s, =e the stone

stellen to place, put; sich auf eigene Füße stellen stand on one's own

feet; die Stelle, =, =n the place, position; die Stellung, =, =en the position

sterben, starb, ist gestorben, er stirbt to die; das Sterbebett, =(e)s, =n the death-bed

der Stern, =(e)s, =e the star

stets always

die Steuer, =, =n the tax

der Stiefvater, =s, " the stepfather

still still, quiet, silent; die Stille, = the stillness, quiet

die Stimme, =, =n the voice

die Stirn, =, =en the forehead, brow

der Stock, =(e)s, "e the stick, cane

der Stock, =(e)s, =(e) or Stockwerke the floor (of a house); erster Stock one flight up

der Stoff, =(e)s, =e the matter, subject, theme, cloth

stolz (auf) proud (of); der Stolz, =es the pride

stopfen to stuff, fill

stören to disturb

stoßen, stieß, hat gestoßen, er stößt to push, thrust

stottern to stutter

strafen to punish; die Strafe, =, =n the punishment

strahlen to beam, shine, be radiant; der Strahl, =(e)s, =en the beam, ray

der Strand, =(e)s, =e the strand

die Straße, =, =n the street

streben to strive, struggle

der Streich, =(e)s, =e the stroke, blow, prank, joke

das Streichholz, =es, "er the match

streiten, stritt, hat gestritten to fight, quarrel, argue; der Streit, =(e)s the dispute, quarrel

streng stern, severe, strict

das Stroh, =s the straw

der Strom, =(e)s, "e the stream, river, flow

der Stubenarrest', =(e)s the confinement to one's room

das Stück, =(e)s, =e the piece, play, part

ſtudieren to study; attend a university; die Stu'die, =, =n the
study; die Studienreiſe, =, =n the
journey for the purpose of study;
das Studium, =s, =en the study
die Stufe, =, =n the stage, step
der Stuhl, =(e)s, ⸗e the chair
ſtumm dumb, mute, silent
ſtumpf dull
die Stunde, =, =n the hour, lesson
der Sturm, =(e)s, ⸗e the storm; die
Sturmglocke, =, =n the alarm-
bell, signal-bell; ſtürmiſch stormy;
enthusiastically
ſtürzen (ſein) to plunge, fall
ſuchen to seek, look for; nichts mehr
zu ſuchen no further business
der Süden, =s the south; (das) Süd-
deutſchland, =s South Germany;
ſüddeutſch South German
die Summe, =, =n the sum, amount
der Sünder, =s, = the sinner
die Suppe, =, =n the soup
ſüß sweet

T

der Ta'bak, =s, =e the tobacco
der Tag, =(e)s, =e the day; Tag für
Tag day after day; die Tages-
ſtunde, =, =n the hour of the day;
täglich daily
das Tal, =(e)s, ⸗er the valley, dale
der Taler, =s, = the dollar (about
75 cents until 1871)
die Tanne, =, =n the fir
tanzen to dance, flicker; der Tanz-
meiſter, =s, = the dancing-master
tapfer brave, courageous; die Tapferkeit, = the bravery
die Taſche, =, =n the pocket
die Tat, =, =en the deed, action;
tätig active; die Tätigkeit, = the
activity
taub deaf
taufen to christen, baptize
täuſchen to deceive
der Tautropfen, =s, = the dew-
drop

der Teil, =(e)s, =e the part; zum
großen Teil to a large extent,
largely; die Teilung, =, =en the par-
tition, division, dismemberment
teuer dear, expensive
der Teufel, =s, = the devil
das Thea'ter, =s, = the theatre; der
Theaterdichter, =s, = the drama-
tist, playwright; der Theaterdirek'-
tor, =s, =en the manager of a
theatre; die Theatergeſellſchaft, =,
=en the theatre company
das Thema, =s, =en or =ta the theme,
subject
die Theſe, =, =n the thesis
der Thron, =(e)s, =e the throne; der
Thronenflitter, =s the royal pomp;
die Thronfolge, = the succession
to the throne
tief deep, profound
das Tier, =(e)s, =e the animal, beast
der Tiſch, =es, =e the table
die Tochter, =, ⸗ the daughter
der Tor, =en, =en the fool; das Tor,
=(e)s, =e the gate, gateway
tot dead, lifeless; töten to kill; der
Tod, =(e)s, =e the death; tod-
krank hopelessly ill; die Toten-
lampe, =, =n the funeral lamp;
tot=ſchlagen, ſchlug tot, hat totge-
ſchlagen, er ſchlägt tot to strike
dead, kill
tragen, trug, hat getragen, er trägt
to carry, take, bear, wear
die Tragik, = the tragedy
die Träne, =, =n the tear
trauern to mourn, grieve; die
Trauer, = the mourning, grief;
das Trauerſpiel, =(e)s, =e the
tragedy; traurig sad, melancholy,
sorrowful
traulich cordial, intimate
träumen to dream; der Traum,
=(e)s, ⸗e the dream
traut beloved, dear, sweet
treffen, traf, hat getroffen, er trifft to
hit, strike, meet
treiben, trieb, hat getrieben to drive,
practice, carry on

trennen to separate, part, divide; **die Trennung**, =, =en the separation

die Treppe, =, =n the stairs, staircase

treten, trat, ist getreten, er tritt to step, walk, go, enter; **in die Ehe treten** to marry, get married

treu true, loyal, faithful; **die Treue**, = the loyalty, faithfulness

trinken, trank, hat getrunken to drink; **die Trinkerei'**, =, =en the drinking-bout

trocken dry, dull, uninteresting

die Trommel, =, =n the drum

trösten to comfort, console; **der Trost**, =(e)s the comfort, consolation; **trostlos** disconsolate, hopeless

trotz (+ gen. or dat.) in spite of, despite; **trotzdem** in spite of it, nevertheless

trüb(e) dim, dull

die Truhe, =, =n the trunk, chest

der Trunk, =(e)s the drinking, drink

tüchtig thorough, efficient, capable

tun, tat, hat getan to do; put, take

die Tür, =, =en the door

der Turm, =(e)s, ≈e the tower; **das Turmzimmer**, =s, = the room in the tower

U

üben to exercise, practice; have

über (+ dat. or acc.) over, at, above, concerning, about, via

überall' everywhere

überhaupt' at all, generally, really, even

überla'den overloaded

überlas'sen, überließ, hat überlassen, er überläßt to leave, give up

(sich) überle'gen to reflect, weigh, consider

übernach'ten to spend the night

überneh'men, übernahm, hat übernommen, er übernimmt to take over, assume

überra'schen to surprise; **die Überraschung**, =, =en the surprise

überrei'chen to hand over

überschal'len to outsound, drown

überset'zen to translate; **die Übersetzung**, =, =en the translation

überwäl'tigen to overpower, overwhelm

überzie'hen, überzog, hat überzogen to cover over with, overlay

üblich customary

übrig remaining, left over, other; **es blieb ihm nichts übrig** there was nothing else for him to do; **übrigens** for the rest, moreover, incidentally; **übrig=haben** to have, have to spare

die Uhr, =, =en the timepiece, clock, watch, o'clock

um (+ acc.) about, around, by, after, at, for; (+ inf. with zu) to, in order to; **um=sein** to have expired, be over; **um** (+ gen.) **willen** for the sake of; **um ... herum** around

die Umarbeitung, =, =en the revision

sich um=drehen to turn around

umflat'tern to flutter about

umgeändert changed

umge'ben, umgab, hat umgeben, er umgibt to surround; **die Umgebung**, =, =en the surroundings, environment, company, circle of friends

umher' about; **umher=wandern** to wander about

sich um=sehen, sah sich um, hat sich umgesehen, er sieht sich um to look about, around

umsonst' for nothing, to no purpose, in vain

sich um=wenden, wandte sich um, hat sich umgewandt to turn around

unabhängig independent; **die Unabhängigkeit**, = the independence

unangenehm unpleasant, disagreeable; **die Unannehmlichkeit**, =, =en the unpleasantness, disagreeableness

unaussprechlich inexpressible, unutterable

unbebeutend insignificant

unbekannt unknown

unbeo'bachtet unnoticed

unermüdlich untiring, indefatigable

unerwartet unexpected

unerwünscht unwished for, unwelcome

(das) Ungarn, =s Hungary

ungebändigt untamed, undisciplined

ungefähr about, approximately

ungeheuer monstrous, enormous

ungewohnt unaccustomed

ungläubig unbelieving, irreligious, infidel

unglaublich unbelievable, incredible

unglücklich unlucky, unhappy

unhöflich impolite

die Universal'geschichte, = the universal history

unmöglich impossible

unpassend unsuitable, improper

unrecht wrong; unrecht haben to be wrong

unregelmäßig irregular

unruhig restless

unschuldig innocent

unsicher uncertain

der Unsinn, =(e)s the nonsense, foolishness

unten below, downstairs

unter (+ dat. or acc.) under, below, between, among; unter uns gesagt between ourselves

der Unterhalt, =(e)s the support

sich unterhal'ten, unterhielt sich, hat sich unterhalten, er unterhält sich to converse; die Unterhaltung, =, =en the conversation

unterneh'men, unternahm, hat unternommen, er unternimmt to undertake; das Unternehmen, =s, = the undertaking, enterprise

unterrich'ten to teach, instruct; inform; der Unterricht, =(e)s the instruction; die Unterrichtsstunde, =, =n the lesson

unterschei'den, unterschied, hat unterschieden to distinguish, discriminate, differentiate; der Unterschied,

=(e)s, =e the difference, dissimilarity

untersu'chen to investigate

unterwegs on the way

unumschränkt unlimited, sovereign

unvergleichlich incomparable

unverschlossen unlocked

die Ursache, =, =n the cause, reason

ursprünglich original

das Urteil, =s, =e the judgment

usw. (und so weiter) etc. (et cetera)

B

der Vater, =s, ⁻ the father; das Vaterhaus, =(s)es, ⁻(s)er the home of one's childhood; das Vaterland, =(e)s, ⁻er the native country, fatherland; väterlich fatherly, paternal

das Veilchen, =s, = the violet

(das) Vene'dig, =s Venice

verachten to despise, scorn, disdain

verändern to change; die Veränderung, =, =en the change

die Veranlassung, =, =en the cause, inducement; auf Veranlassung (von) at the instance or instigation (of)

verbannen to banish, exile

verbergen, verbarg, hat verborgen, er verbirgt to hide, conceal; im Verborgenen in secret

die Verbesserung, =, =en the improvement

verbieten, verbot, hat verboten to forbid

verbinden, verband, hat verbunden to connect, join, combine, unite; die Verbindung, =, =en the connection

verbleichen, verblich, ist verblichen to grow pale, fade

verbreiten to spread

verbringen, verbrachte, hat verbracht to spend, pass (time)

verdammt damned, damn it!

verdanken to owe

verderben, verdarb, ist verdorben, er verdirbt to perish

verdienen to earn, deserve

verdrängen to crowd out

verdunkeln to darken

verehren to respect, venerate; die Verehrung, =, =en the respect, veneration

vereinigen to unite, join; die Vereinigung, =, =en the union; vereint united

vereinsamt solitary, lonely

verfassen to write, compose

verfolgen to pursue

vergeblich in vain

vergehen, verging, ist vergangen to pass (*of time*); die Vergangenheit, =, =en the past

vergessen, vergaß, hat vergessen, er vergißt to forget

das Vergnügen, =s, = the pleasure, delight, enjoyment; vergnügt joyous, cheerful

vergraben, vergrub, hat vergraben, er vergräbt to bury

vergrößern to enlarge

vergunnt (*archaic*) granted, permitted, allowed

das Verhältnis, =(ff)es, =(ff)e the relationship

verhängen to impose

verheimlichen to keep secret, conceal

sich verheiraten to marry, get married

verkaufen to sell

verkehren to associate; der Verkehr, =s the association

verlangen to demand, ask

verlassen, verließ, hat verlassen, er verläßt to leave

verleben to spend

der Verleger, =s, = the publisher

verliebt in love

verlieren, verlor, hat verloren to lose; der verlorene Sohn the prodigal son; sich verlieren to disappear, die away

sich verloben to become engaged; die Verlobte, =n, =n the betrothed, fiancée

der Verlust, =(e)s, =e the loss

vermählen to unite in marriage

vermeiden, vermied, hat vermieden to avoid

vermissen to miss

das Vermögen, =s, = the fortune

verpflichten to obligate

verraten, verriet, hat verraten, er verrät to betray, reveal

versagen to refuse; fail

versammeln to assemble

verschaffen to provide with

verscharren to bury (without ceremony)

verscherzen to lose through folly, forfeit

verschieden different, various; die Verschiedenheit, =, =en the difference

verschließen, verschloß, hat verschlossen to lock up

verschüttet blocked up

verschweigen, verschwieg, hat verschwiegen to keep secret, conceal

verschwinden, verschwand, ist verschwunden to disappear, vanish

versetzen to transfer, promote; pawn

die Versicherung, =, =en the assurance; insurance; security

versprechen, versprach, hat versprochen, er verspricht to promise

sich verständigen to make oneself understood, communicate; die Verständigung, =, =en the understanding, agreement; verständlich understandable; das Verständnis, =(ff)es, =(ff)e the understanding, appreciation

verstehen, verstand, hat verstanden to understand

verstockt stubborn, obdurate

versuchen to try, attempt; der Versuch, =(e)s, =e the attempt, experiment

verteilen to distribute, divide

die Vertraulichkeit, =, =en the familiarity, intimacy

vertreiben, vertrieb, hat vertrieben to drive away, expel

verurſachen to cause

die Verwaltung, =, =en the administration

verwandeln to change, transform

verwirklichen to realize

verwunden to wound

verwundert surprised

verwünſchen to curse

verzeihen, verzieh, hat verziehen to forgive, pardon, excuse; die Verzeihung, =, =en the pardon; um Verzeihung bitten to beg pardon

die Verzweiflung, =, =en the despair

der Vetter, =s, =n the cousin

das Vieh, =(e)s the cattle

viel much; *pl.* many; vielfach often, frequent; vielmehr' rather; die Vielſeitigkeit, = the many-sidedness

vielleicht' perhaps

die Viertelſtunde, =, =n the quarter-hour; das Viertelſtündchen, =s, = the short quarter of an hour; a few moments

der Vogel, =s, " the bird; das Vogelblut, =(e)s the blood of birds; das Vogelneſt, =(e)s, =er the bird's nest

das Volk, =(e)s, "er the folk, people, nation; das Volksbuch, =(e)s, "er the popular prose romance, chapbook; der Volksdichter, =s, = the popular poet, national poet; die Volkspoeſie, = the popular poetry; volkstümlich national, popular

voll full; aus vollem Halſe at the top of one's voice; vollenden to end, finish, complete, achieve; die Vollendung, =, =en the completion; völlig fully; vollkom'men perfect, full, complete; vollſtändig complete, entire

voltigieren to practice gymnastics

von (+ *dat.*) from, of, by; voneinander of one another

vor (+ *dat.* or *acc.*) before, in front of, from, for, ago

voraus' ahead; im voraus in advance

vorbei' past, over

vorbei'=gehen, ging vorbei, iſt vorbeigegangen to go past

vorbei'=kommen, kam vorbei, iſt vorbeigekommen to come by, past

vorbei'=reiten, ritt vorbei, iſt vorbeigeritten to ride past

vorbei'=wandern to wander past

der Vorderfuß, =es, "e the forefoot

die Voreltern (*pl.*) the ancestors

vorgeſtern day before yesterday

vorher before, beforehand, in advance, previously

vorig former, last

vor=kommen, kam vor, iſt vorgekommen to occur, happen, seem

vorläufig for the time being

die Vorleſung, =, =en the (university) lecture

vor=liegen, lag vor, hat vorgelegen to be

vornehm distinguished, aristocratic

vor=ſchlagen, ſchlug vor, hat vorgeſchlagen, er ſchlägt vor to suggest, propose, recommend; der Vorſchlag, =(e)s, "e the suggestion, proposition

die Vorſicht, = foresight, caution; vorſichtig careful, cautious

vor=ſtellen to introduce; act the rôle of, represent, be; die Vorſtellung, =, =en the presentation

der Vorteil, =(e)s, =e the advantage

der Vortrag, =(e)s, "e the lecture, recital, execution (*music*)

vor=treten, trat vor, iſt vorgetreten, er tritt vor to step forward

vorwärts forward, on; vorwärts=kommen, kam vorwärts, iſt vorwärtsgekommen to advance, make progress, get on in the world

vor=ziehen, zog vor, hat vorgezogen to prefer

das Vorzimmer, =s, = the anteroom, vestibule

𝔚

die Wache, =, =n the guard, watch, sentinel

wachsen, wuchs, ist gewachsen, er wächst to grow

der Wächter, =s, = the watchman

die Waffe, =, =n the weapon, arm

wagen to venture, risk, dare

der Wagen, =s, = the wagon, coach, carriage, cab, car

wählen to choose, select, pick out, elect; die Wahl, =, =en the choice, option

der Wahn, =(e)s the fancy, delusion

wahr true; nicht wahr? is it not so? die Wahrheit, =, =en the truth; wahrschein'lich probable, likely, plausible

während (+ gen.) during; conj. while

der Wald, =(e)s, "=er the wood, forest

wallen (haben) to surge, heave; (sein) walk, wander, go on a pilgrimage

wandern (sein) to wander, travel (on foot), go, walk; der Wanderer, =s, = the wanderer; der Wandermüde, =n, =n the person tired of wandering; die Wanderschaft, =, =en the traveling; auf die Wanderschaft gehen to go traveling; die Wanderung, =, =en the trip, tour

wann when

die Ware, =, =n the ware, article of commerce, goods

warm warm

warnen to warn; die Warnung, =, =en the warning

warten to wait

warum why

was what, whatever; was = etwas something, anything

waschen, wusch, hat gewaschen, er wäscht to wash; die Wäsche, =, =n the washing, wash, laundry, linen

das Wasser, =s, = the water

weben, wob, hat gewoben to weave; stir, move

wechseln to change, exchange; der Wechsel, =s, = the change

wecken to awake, waken

weder . . . noch neither . . . nor

der Weg, =(e)s, =e the way, road, path; sich auf den Weg machen to start out

weg away, gone

wegen (+ gen.) on account of, because of

weg=fliegen, flog weg, ist weggeflogen to fly away

weg=jagen to chase away; aus der Schule jagen to expel

weh woe; o weh! heavens! alas!

wehen to blow; be wafted

das Weib, =(e)s, =er the woman, wife

weichen, wich, ist gewichen to yield, pass away

die Weide, =, =n the pasture; willow

sich weigern to refuse, decline

weil because

die Weile, = the while

weilen to stay, tarry, linger

der Wein, =(e)s, =e the wine

weinen to weep, cry

die Weise, =, =n the manner, way; melody

weise wise; die Weisheit, =, =en the wisdom

weit far, distant; broad, wide; von weitem from afar; weiter further, farther, especially, else; continue

weiter=fahren, fuhr weiter, ist weitergefahren, er fährt weiter to continue the journey

weiter=fragen to continue to question

weiter=gehen, ging weiter, ist weitergegangen to go on, continue

weiter=reisen (sein) to continue the journey

weiter=ziehen, zog weiter, ist weitergezogen to continue on one's way welch (=er, =e, =es) which, what, who

die Welle, =, =n the wave

die Welt, =, =en the world; die Weltgeschichte, = the world's history; die Weltsprache, =, =n the universal language; die Weltstadt, =, ⁼e the metropolis

wenden, wandte or wendete, hat gewandt or gewendet to turn

wenig little; *pl.* few; wenigstens at least

wenn if, when, whenever

wer who, whoever

werden, wurde, ist geworden, er wird to become

werfen, warf, hat geworfen, er wirft to throw

das Werk, =(e)s, =e the work; die Werkstatt or die Werkstätte, =, Werkstätten the workshop; das Werkzeug, =(e)s, =e the tool(s), implement(s)

der Wert, =(e)s, =e the worth, value

das Wesen, =s, = the being, existence, nature, character

westlich west(ern), westerly

wetten to wager, bet; die Wette, =, =n the wager, bet

wichtig important

wider (+ *acc.*) against

widerru'fen, widerrief, hat widerrufen to recant, retract

widerste'hen, widerstand, hat widerstanden to withstand

wie how, what, as, such as, like, when

wieder again; wiederum again, anew

wiederho'len to repeat, review

wieder=kommen, kam wieder, ist wiedergekommen to come back, return

wieder=sehen, sah wieder, hat wiedergesehen, er sieht wieder to see again; das Wiederseh(e)n, =s the reunion

(das) Wien, =s Vienna; der Wiener, =s, = the Viennese

die Wiese, =, =n the meadow

wild wild

der Wille, =ns the will, resolve, purpose, wish; willig willing

willkom'men welcome

der Wind, =(e)s, =e the wind; die Windeseile, = the speed of the wind

wirken to effect, work, bring about; die Wirkung, =, =en the effect

wirklich actual, real; die Wirklichkeit, =, =en the reality

das Wirtshaus, =(f)es, ⁼(f)er the inn, tavern

wissen, wußte, hat gewußt, er weiß to know; weißt du was? I'll tell you what; das Wissen, =s the knowledge, education; die Wissenschaft, =, =en the science; wissenschaftlich scientific

die Witwe, =, =n the widow

wo where, somewhere, when; wobei' whereby, in connection with which; wodurch' whereby, through which; woher' whence, from where, how; wohin' whither, to what place, where

die Woche, =, =n the week

wohl well, indeed, to be sure, probably, I suppose; wohlbekannt well-known; wohlhabend well-to-do; der Wohlstand, =(e)s the well-being, prosperity

wohnen to live, dwell; der Wohnsitz, =es, =e the fixed dwelling, residence; die Wohnung, =, =en the dwelling, apartment, House

der Wolf, =(e)s, ⁼e the wolf

wollen, wollte, hat gewollt or wollen, er will to will, want, wish, claim to

das Wort, =(e)s, =e or ⁼er the word

die Wunde, =, =n the wound

sich wundern to be surprised, marvel; wunderbar wonderful, marvelous

wunnesam (*archaic*) winsome

wunniglich (*archaic*) blissfully, rapturously

wünschen to wish, desire; der
Wunsch, =es, ⸗e the wish
die Würde, =, =n the dignity; würdig
worthy, estimable, deserving
wurzeln to take root, be rooted in,
grow; die Wurzel, =, =n the root
die Wüste, =, =n the desert
die Wut, = the rage

3

zahlen to pay; die Zahl, =, =en the
number
zählen to count
der Zahn, =(e)s, ⸗e the tooth
der Zar, =en, =en the tsar, czar
zart tender, delicate; zärtlich tender, delicate, affectionate
der Zauber, =s, = the charm, magic,
witchcraft; der Zauberer, =s, =
the magician; der Zauberring,
=(e)s, ⸗e the magic ring; der Zauberschein, =(e)s the magic gleam
das Zeichen, =s, = the mark, sign,
signal
zeichnen to draw, sketch, design;
der Zeichner, =s, = the drawer,
designer, draughtsman
zeigen to show, point out
die Zeit, =, =en the time, period,
age; das Zeitalter, =s, = the age,
generation, era; eine Zeitlang, =
for a time; zeitlich temporal; die
Zeitschrift, =, =en the periodical,
magazine; die Zeitung, =, =en the
newspaper
die Zelle, =, =n the cell
zerbrechen, zerbrach, hat zerbrochen, er
zerbricht to smash to pieces
zerkratzen to scratch (deeply)
zerschlagen, zerschlug, hat zerschlagen,
er zerschlägt to knock to pieces,
scatter, disperse
zerschneiden, zerschnitt, hat zerschnitten
to cut in pieces, cut up
das Zeug, =(e)s the stuff
ziehen, zog, hat gezogen to pull,
draw, derive; ist gezogen to pass,
go

zielen to aim; das Ziel, =(e)s, =e
the aim, goal
ziemlich tolerable, rather, pretty
zierlich dainty, delicate
die Zigarre, =, =n the cigar
das Zimmer, =s, = the room
zittern to tremble, shake, shudder;
die Zitterhand, =, ⸗e the trem-
bling hand
der Zoll, =(e)s, ⸗e the toll, duty,
custom
der Zorn, =(e)s the anger, wrath;
zornig angry
zu (+ dat.) to, towards, at, for, in,
with, too
zu⸗bringen, brachte zu, hat zugebracht
to spend, pass (the time)
züchten to breed, raise
zu⸗decken to cover
zueinan'der to one another
zuerst' first, at first
der Zufall, =(e)s, ⸗e the chance, ac-
cident, coincidence
zufrie'den satisfied
der Zug, =(e)s, ⸗e the train,
draught, trace, line; pl. features
zu⸗geben, gab zu, hat zugegeben, er
gibt zu to admit
zugleich' at the same time
zu⸗hören to listen
die Zukunft, = the future; zukünftig
future
zuletzt' at last, finally
zu⸗machen to close, shut
zunächst' first of all, to begin with
zurück' back
zurück'⸗bekommen, bekam zurück, hat
zurückbekommen to get back, recover
zurück'⸗bringen, brachte zurück, hat
zurückgebracht to bring back
zurück'⸗eilen (sein) to hurry back
zurück'⸗fahren, fuhr zurück, ist zurück⸗
gefahren, er fährt zurück to drive
back, ride back
zurück'⸗führen to lead back
zurück'⸗kehren (sein) to return
zurück'⸗kommen, kam zurück, ist zurück⸗
gekommen to come back

zurück'=laufen, lief zurück, ist zurück=
gelaufen, er läuft zurück   to run back

zurück'=reiten, ritt zurück, ist zurückge=
ritten   to ride back

zurück'=weisen, wies zurück, hat zurück=
gewiesen   to refuse, reject

zurück'=ziehen, zog zurück, hat zurück=
gezogen   to draw back, withdraw

zu=rufen, rief zu, hat zugerufen   to
call out to, proclaim to

zusam'men   together

zusam'men=brechen, brach zusammen,
ist zusammengebrochen, er bricht zu=
sammen   to break down, collapse

zusam'men=kommen, kam zusammen,
ist zusammengekommen   to come
together

zusam'men=rufen, rief zusammen, hat
zusammengerufen   to call together,
summon, convoke

zusam'men=setzen   to put together,
join

zusammen=stellen   to make up, com-
pile

zu=schreiten, schritt zu, ist zugeschritten
to walk towards

zu=sehen, sah zu, hat zugesehen, er
sieht zu   to look on

der Zustand, =(e)s, ⸗e   the condition,
state

die Zustimmung, =, =en   the consent

zu=stoßen, stieß zu, ist zugestoßen, es
stößt zu   to befall, happen to

zuwei'len   at times, occasionally

zwanzig: die zwanziger Jahre   the
twenties

zwar   indeed, to be sure, of course

der Zweck, =(e)s, =e   the purpose,
aim, object

der Zweig, =(e)s, =e   the branch

zweitens   secondly, in the second
place; ein zweitesmal   a second
time

der Zwerg, =(e)s, =e   the dwarf

zwingen, zwang, hat gezwungen   to
force, compel

zwischen (+ *dat.* or *acc.*)   between;
zwischendurch   in between

438
Sch34r

17723

Date Due
